KB196477

인류
—
통증

연대기

인류 ——

통증

연대기

인간이라는 동물, 두 발로 걷기 시작하다

최영민, 오승호 _{지음}

날다

PROLOGUE

최영민 ─────────────────────

　　통증과 통증 케어를 다룬 책인 <바른 몸이 아름답다>와 <뻐근하고 아픈 몸 참지 말고 셀프 마사지>의 기획에 참여하면서 한 가지 생각이 들었다. 수술이나 약물 치료가 필요한 통증이 아닌 일상에서 오는 통증에 대한 수많은 해결 방법에 많은 독자들이 관심을 보일 정도로 이런 통증은 특별한 것이 아니라는 생각 말이다. 이후 일상적인 통증에 대한 간단한 팁을 다룬 책이 우후죽순 쏟아져 나올 때쯤 의문이 들었다. 통증을 해결하기 위한 팁은 책이 나올 정도로 많은데 통증은 대체 어디에서 오는 것일까?

　　엉뚱하게도 인류학 서적을 탐독하다가 어렴풋한 힌트를 알게 되었다. 1911년 독일의 곤충학자 카트빙켈Kattwinkel은 수면병을 일으키는 곤충을 연구하기 위해 독일령 동아프리카를 조사하다가 발가락이 세 개인 멸종된 말(현대의 말은 발가락이 한 개다)의 화석을 찾게 되었다. 이후 고생물학자와 고인류학자의 연구를 통해 이 지역에서 수많은 멸종된 포유류들의 화석을 발견하게 되었는데 1976년 영국의 고인류학자 루이스 리키Louis Leakey와 그의 부인 메리 리키Mary Leakey는 오스트랄로피테쿠스 아파렌시스Australopithecus afarensis 일명 루시Lucy라고 불리는 고인류의 화석을 발견하게 되었다. 이것은 인류 최초의 발자국으로 유명세를 타게 되었는데 이 발자국이 관심을 끈 이유는 고대 인류가 두 발로 보행을 했다는 것을 처음으로 증명했기 때문이다. 350만 년 전 그곳에 발자국을 남긴 사람들은 현생 인류처럼 일직선으로 걸었으며 두 발 직립보행을 하는 우리들이 가진 특성과 거의 유사한 특성을 가지고 있었다. 이후 호모사피엔스의 정체성은 두뇌의 용량이 아니라 두 발로 걷는 직립보행이라는 쪽으로 의견이 기울기 시작했다. 고인류학은 루시보다 더 오래된 인류 조상 후보들을 발굴했고 그들에게도 직립보행이 가능한 해부학적인 특성을 찾아냈다. 지구의 역사에서는 순간에 불과한 두 발로 걷는 원숭이의 역사를 특별하게 만들어주는 특성이 바로 두 발로 걷기인 것이다.

그런데 이 특별함에 구조적인 결함이 존재한다면? 두 발로 서 있는 것은 선택에 의한 결과일 뿐 우열과는 상관이 없다면? 고인류학이라는 냉엄한 학문의 영역에서 다루어지는 호모사피엔스는 지구의 역사를 스쳐가는 수많은 종의 하나로서 아직도 시간 위를 달리고 있는 미완성의 존재였다. 우리는 지면 위에 나타난 수많은 종들이 그러하듯 다른 종들과의 군비경쟁에서 살아남기 위해 하나를 선택하고 그 대신 하나를 버리는 과정 속에 불완전한 상태로 존재하고 있으며 현재 직립이라는 인류의 형태 역시 그것에 포함된다는 것이 화석인류의 전언이었다. '우리의 특별함이 사실은 많은 결함을 포함한 것이라면 그것을 어떻게 받아들여야 할까?' 재미있게도 이 의문은 앞서 '인간의 몸에서 느껴지는 통증은 어디에서 오는가?'와 맞닿아 있다. 만물을 굽어보기 위해 두 발로 일어섰다는 인류는 그런 오만하고 현학적인 이유에서 직립을 선택한 것이 아님을, 그 선택으로 인해 다른 종과 다른 형태로 인해 얻은 대가가 어떤 것인지를 조금씩 알게 되었을 때 <인류 통증 연대기>를 구상하게 되었다.

그 누구도 통증을 마주하고 싶은 사람은 없다. 그러나 통증은 언제든 느껴질 수 있으며 모두에게 다른 얼굴을 하고 있다. 같은 상황이라고 해도 각자 통증의 역치가 다르기 때문이다. 그래서 다루기 어려운 녀석이기도 하다. 의학적인 소견이 필요한 통증은 당연히 병원에서 다루어야겠지만 과도한 긴장이나 몸의 불균형에서 생기는 통증을 다루는 콘텐츠는 책과 미디어에서 많은 솔루션들을 주고 있다. 그 많은 정보들을 통해 통증에서 벗어나는 것은 독자들의 선택에 달려 있다. 우리는 조금 더 근본적으로 그것들이 어디에서 비롯되었는지 밝히고자 이 책을 집필하게 되었음을 서문을 통해 말하고 싶다. 한 권의 책으로 덜 수 없는 고민이겠지만 이곳저곳에 느껴지는 그것이 있다면 그 고민을 마주 앉아 들어줄 수 있지 않을까 싶은 마음에서 한 줄, 한 줄 채워 책을 출간하게 되었다. 운동과 건강 이야기로 독자 여러분들과 만나 지도 꽤 시간이 흘렀다. 다양한 채널을 통해 이런 이야기를 할 수 있었던 것은 모두 분에 넘치는 독자들의 사랑이 있었기에 가능했던 것이 아닌가 싶어 고맙고 송구한 마음을 말로 표현하기 힘들 정도다. 이번에도 재미있게 읽어주셨으면 하는 바람이다.

의미 있는 책을 함께 집필해준 팀불량헬스 돼지보살 오승호와 팟캐스트 쇼불량헬스를 함께해주시는 장안동 참튼튼병원 관절운동센터장 이효근 실장님, 분당 프리허그 한의원 조아라 원장님, 이분경 코치님, 크리쓰조시아 신화성 코치, 포천시청 역도팀 이우성 감독님, 양철웅 코치님, 서울 체육중학교 레슬링 김재환 코치님, 어바웃 크로스핏 백현철 코치님, 천지우 님, 영춘무술연구회 대사형 서경은 관장님, 친구 유사 운동 행위 창시자 루치아노 징구니, 영원한 UDT/SEAL 항득이, 3대 600Kg 승진이, 사랑하는 나의 가족들. 이 책을 읽는 모든 분들에게 사랑과 감사의 마음을 전합니다.

　　몇 년 전 일이다. 최영민 실장이 건강과 피트니스 관련 미디어 웹사이트를 기획 중이라며 디스크에 관한 칼럼을 부탁한 적이 있었다. 안타깝게도 그 사이트는 빛을 보지 못하고 사라져버렸지만 병원에서 겪은 경험과 임상을 글로 옮기는 계기가 되었다. 처음 요통의 원인에 대해 고민하면서 워드 프로세서의 빈 화면만 바라보던 기억이 난다. "왜"라는 고민이 꼬리에 꼬리를 물었다. 병원에서는 그다지 고민해보지 않았던 터라 어떻게 글로 사람들을 이해시켜야 할까 알 수 없었기 때문이다. 그러던 중 다소 어이없는 상상으로 결론이 나왔는데 "어째서 요추에는 갈비뼈가 없는가?"였다. 그림 속 요추를 보고 있으니 척추를 구성하는 다른 뼈에 비해 연결된 다른 뼈가 없었다. 요추가 단독으로 존재하는 것은 당연하겠지만 어떤 필요에 의해서 이런 형태가 되었는가는 생각해본 적이 없었다. 여기에 갈비뼈가 더 있었다면 혹은 연골처럼 물렁뼈로 몸통을 둘러싸는 형태로 보강을 해준다면 디스크나 요통에서 조금 더 멀어지지 않았을까 하는 생각이었다.

　　그렇게 오랜만에 해부학 책을 펴고 요추를 보며 나름의 결론을 내리게 되었다. 이렇게 단독으로 요추가 존재하는 것은 안정성을 어느 정도 포기하고 다른 것을 얻기 위함이라는 것을 말이다. 그때 정리한 내용들은 다시 <인류 통증 연대기>에서 근본적인 통증의 원인을 바라보는 중요한 관점이 되었다. 수많은 환자들이 들락거리는 병원에서 오랜 시간 일하며 환자들을 치료했지만 사고나 외상으로 인한 환자보다 다양한 원인으로 허리가 아파서 병원을 찾는 사람들을 더 많이 보았다. 자주 보는 환자들의 증상은 호전과 악화를 반복하곤 했는데 책의 내용을 관해 생각하고 연구를 거듭할수록 단순하게 관리를 잘못하기 때문에, 혹은 같은 자세 습관 때문이라는 의견에 어쩌면 두 발 보행을 위한 구조적인 문제라는 의견이 첨부되기 시작했다. 불완전한 것은 당연하다. 불완전한 것은 잘못된 것이 아니라 불완전을 보완하기 위한 해결책에 대한 의견이다. 다른 동물과 다르게 펼쳐진 세상을 바라보기 위한 대가일 뿐인 것이다. 그것에 대한 이야기를 모아서 출간하기까지 꽤 시간이 흐른 것 같다.

　니의 요통 경험은 최근이다. 워낙 몸이 튼튼한 편이라 요통 같은 것은 모르고 살아왔는데 불혹을 넘기자 허리가 자주 파업을 하기 시작했다. 체중도 늘고 근육이 줄어서일까 조금만 과격하게 운동을 하거나 여행을 가서 평소와 다른 침대에서 자고나면 허리부터 뻐근했다. 아이러니하게도 원고를 쓰기 위해 앉아 있는 시간이 늘어날수록 더 자주 허리의 기분 나쁜 통증과 만나게 되었다. 그럴 때마다 이 책의 공저자인 최영민 실장은 아마 의사들도 허리가 아플 거라며 위로 아닌 위로를 해주곤 하는데 병원에 근무하던 시절 허리 수술을 전문으로 하는 의사들도 요통에 시달리는 것을 종종 보았다. 근육이 급격히 줄어드는 사십 대부터 더 요통에 노출되는 것은 사실이다. 이때부터 어떤 식으로 몸을 관리하느냐가 어떤 노년으로 이어지느냐에 대한 열쇠가 된다. 그리고 그 좋은 표본이 이 책의 공저자인 최영민 실장이다. 처음 그를 만났을 때는 IT 업계 종사자였고 어깨와 목의 불균형은 물론 허리에 척추 분리증이 있는 과체중이었다. 이후 꾸준한 운동과 스포츠로 더 나이를 먹어도 더 젊은 신체 나이를 갖게 되었다. 독자들은 이 책의 두 저자인 최영민의 실행성과 운동에 관한 해박한 지식, 오승호의 임상 경험과 교정

재활에 대한 관점, 두 사람이 가진 통증에 대한 견해를 책으로 엮은 <인류 통증 연대기>를 읽고 좋은 것만 담아가서 건강하고 아프지 않은 영장류가 되었으면 한다.

CONTENTS

PART 1

페인&호모사피엔스,
요통이라는 원죄

요통의 추억

——— 어린 시절 이야기다. 운동을 좋아하고 몸이 날랬던 소년 시절의 나는 종종 허리가 아팠다. 그 때문에 기량이 향상되다가도 다시 제자리 걸음을 하곤 해서 몹시 답답했다. 어린 마음에 왜 나만 이렇게 허리가 아픈 것일까 좌절하곤 했는데 운동을 그만두고 사회생활을 할 때도 격한 운동을 하지 않았는데 가끔 격렬한 허리 통증이 생기곤 했다. 대체 왜 그런 것일까 병원을 찾아 엑스레이를 찍어본 결과 척추에 근본적인 문제가 있음을 알게 되었다.

소년을 괴롭히던 허리 통증의 원인은 **척추분리증**Spondylolysis이었다. 척추 관절을 연결하는 부위가 불완전하여 구조적인 이상을 만들고 통증을 유발하는 증상이었다. 구조적인 문제였기 때문에 치료가 되지 않았다. '완치'는 되지 않고 '완화'시킬 수밖에 없는 증상이라는 의사의 말에 왠지 화가 났었는데 지금 생각해보면 척추분리증 때문에 화가 난 것이 아니라 해결되지 않는 결함을 가지고 있다는 것에 대한 분노였던 것 같다. 화가 난 김에

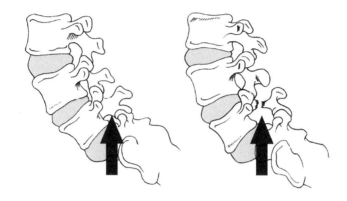

척추분리증

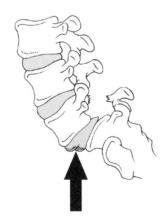

척추전방전위증

더욱 열심히 운동을 해버렸더니 재미있는 결과가 나왔다. 점점 허리 통증이 느껴지지 않는 것이었다. 의사의 말에 따르면 허리 주변의 근육이 늘어나고 강화되어 괜찮아진 것이라고 했다. 통증이 없어져서 좋았지만 이 아이러니는 대체 무엇이란 말인가? 인간의 모순은 관념적인 것에 국한되지 않는다는 사실을 알게 되었던 순간이었다. 인간은 여러모로 불완전한 존재였다.

시간이 지나고 사람들을 만나며 알게 된 것 중 하나가 허리 통증이 생각보다 흔한 증상이라는 것이었다. 나만 가지고 있는 증상이 아니었다. 그야말로 "누구나 디스크 정도는 있지 않아요?"라는 말이 틀리지 않을 정도였다. 군대에서 훈련을 열외하고 싶은 고문관 동기 녀석도, 회사에서 조퇴하고 싶은 뺀질이 김 대리도 흔하게 말하는 사유가 요통이었다. 모든 문명권에 존재하는 악마처럼 요통은 어디에나 존재하고 언제나 인간을 괴롭히고 있었다. 대체 왜일까?

'맥길 통증 어휘표McGill Pain Questionaire Word List/McGill Pain Index'[1]라는 것이 있다. 인터넷에 일명 '통증의 순위'라는 제목으로 돌아다니는 게시물의 근거 자료로 맥길 통증 어휘표에 따르면 인간이 느낄 수 있는 통증 중에서 가장 큰 것은 작열통(불에 타는 통증)이다. 두 번째는 신체 일부가 절단될 때 느끼는 통증이며 세 번째, 네 번째, 다섯 번째는 출산과 관련이 있는 통증들이다. 여섯 번째가 바로 생리통을 포함한 요통인데 요통은 암에 의해 유발

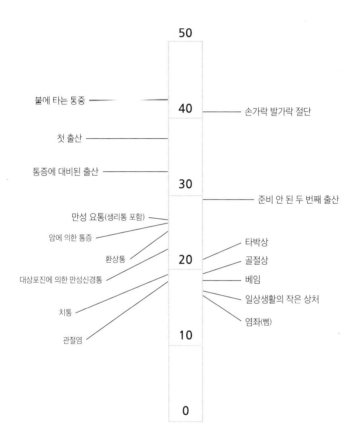

	50
불에 타는 통증 ———————	40 ——— 손가락 발가락 절단
첫 출산 ———————	
통증에 대비된 출산 ———————	30
	——— 준비 안 된 두 번째 출산
만성 요통(생리통 포함) ———	
암에 의한 통증 ———	타박상
환상통 ———	20 골절상
대상포진에 의한 만성신경통 ———	베임
치통 ———	일상생활의 작은 상처
관절염 ———	염좌(삠)
	10
	0

McGill Pain Index

되는 통증이나 골절, 살이 찢어지는 통증, 치통보다 더 순위가 높았다. 요통보다 더 아픈 통증인 작열통이나 절단, 출산 관련 통증들은 모두 인위적이거나 내외부의 자극에 의한 통증이다. 즉, 요통은 신체 내부에서 생기는 통증으로는 가장 고통스럽다는 말이다. 세상에 내가 그런 막강한 존재와 싸워 이겨내다니! 스스로 대견한 마음까지 들었다. 그런데 여러 가지 의문이 생기기 시작했다. "사람이 아닌 동물도 요통이 있을까?", "요통처럼 외부의 자극이 아닌 통증에는 어떤 것이 있을까?", "우리는 왜 통증을 느끼는 것일까?" 아니 모두 차치하고 "통증은 대체 왜 생기는 것일까"라는 근본적인 의문까지 말이다. 정말 신과 같은 존재가 있어 우리에게 내리는 형벌 같은 것일까? 답을 알기 위해서는 수백만 년 전 머나먼 아프리카에서 두 발로 일어서 열심히 대지를 걷고 달려온 조상님을 만나보아야 한다.

직립

오늘도 우리는 아침 일찍 일어나서 출근하고 등교하고 일하고 그 외에 많은 일상을 보내며 살아가고 있다. 일상의 소중함은 말 그대로 일상적이어서 일상에서 멀어지거나 굳이 노력하지 않으면 느낄 수 없게 되어 버린다. 마찬가지로 똑바로 서 있는 자신의 신체 구조를 경이롭거나 신기해할 사람은 아마 없을 것이다. 다른 동물과 비교하거나 관련 서적 혹은 자료를 보며 굳이 생각을 하기 전까지는 말이다. 동물백과사전이나 동물 관련 다큐멘터리를 보면 수많은 척추동물들 중 극소수의 종만이 척추를 다른 방향으로 세울 수 있다는 것을 알 수 있다. 그중에서도 인간만이 곧추 선 형태로 생활하는 것으로 진화했다. 이른바 직립과 직립보행이라는 것인데 직립과 직립보행은 인간이 만들어 놓은 모든 유무형적 가치의 프로메테우스적 사건이며 선악과(善惡果)가 아닌가 싶다.

깜찍한 동물들을 소개하는 동물 관련 프로그램에서 침팬지와 개의 우정에 대한 에피소드를 본 적이 있었다. 견원지간(犬猿之間)이라는 말이 무색하게 잘 지내는 두 동물의 귀여운 모습에 즐거워했던 시청자들도 있겠지만 그 장면은 제작자들의 의도를 편집과 내레이션으로 꾸며놓은 것일 뿐 두 동물의 관계를 들여다보면 방송 내용과 다르다는 것을 알 수 있다. 우월한 종이 열등한 종을 다루는 방법은 잡아먹거나 사육하거나 두 가지뿐이다. 사람들이 보고 싶은 것은 동물들의 귀여운 우정이었겠지만, 사실은 우와 열의 관계이며 원시적인 형태의 사육이다. 그것이 '두 손과 두 발'이 존재하는 동물과 '네 발'만 존재하는 동물 간의 넘어설 수 없는 관계다. 유일하게 우주를 넘나드는 존재가 된 인간의 형태를 생각해보면 직립과 직립보행이 낙원에서 따 먹은 선악과라고 해도 이상하지 않다. 그렇게 우리에게는 중력에 대한 압박이 생겨난 것이다.

요통이 내부적으로 생겨난 통증 중 가장 순위가 높은 이유는 인간의 형태와 밀접한 관련이 있는 통증이기 때문일 것이다. 인간의 형태를 규정하는 정의는 많지만 생물학적 형태의 대표적인 정의가 똑바로 선 척추(직립)와 보행이다. 영장류의 과거를 더듬어보면 현생 인류인 호모사피엔스Homo Sapiens(슬기로운 사람, 지혜로운 사람)와 같은 오만한 학명 말고 바로 이전에 호모에렉투스Homo Erectus(직립한 사람, 곧게 선 사람)라는 현실적이며 따뜻한 학명 (그러나 학자들의 연구에 따르면 그들은 감성보다는 매우 이성적인 존재로 거의 사이코패스 같은 존재였다고 한다. 오만하지 않지만 감성적으로 따뜻함과도 거리가 먼 존재들이었음을 밝혀둔다)과 만날 수 있다. 완전한 형태의 직립을 이루어 다른 눈높이로 대지를 바라보던 그들은 머나먼 아프리카에서 일어서 걷기 시작해 처음으로 아프리카를 벗어난 인류의 종으로 알려져 있으며 똑바로 서서 생활하게 된 유인원의 완성을 보여준 존재들이었다. 앞으로 언급하게 될 미스터리할 정도의 불합리한 직립을 생각한다면 그들은 대체 왜 편하고 안락한 네 발에서 불편하고 불안정한 두 발로 일어서게 되었을까 의문투성이다. 그 의문을 풀기 위해서는 척추에 대한 이야기를 해야 한다. 아마도 그들에게 직립은 선택이 아닌 생존의 문제였을 것이다. 아직도 진화론에 대해서는 말이 많지만 고대 인류의 화석과 뼈로 유추해 보건데 그 시작은 손의 사용, 언어, 머리 위치 변화, 시각의 변화 등 여러 요인이 동시 다발적으로 관여했을 것이라 추측된다.

완전한 직립 이족 보행이란 것은 35억 년 생물의 역사를 통틀어 인간만이 습득한 거의 독보적인 능력이다. 그러나 직립보행이라고 하는, 생물계에서 전례를 찾아볼 수 없는 독보적인 능력으로 인해 가장 완벽한 진화라느니 만물의 영장이니 떠들어 대며 오만해하기에는 빈혈, 허리 디스크와 같은 다른 포유류에게는 없는 난치병이 생기게 되었으며, 항문 질환도 생겼다. 게다가 출산 실패율도 높고 보통 포유류보다 출산 시 사망률도 높아졌다. 생물학적으로 직립은 분명 독보적인 결과지만 그것이 가장 진보된 형태를 의미하는 것은 아니라는 뜻이다. 다른 종(種)에 비해 높은 지능을 직립보행의 부산물로 주장하는 학설도 있다. 반대로 다른 동물들에 비해 신체적으로 열등하기 때문에 지능이 높아진 것이라는 주장도 있다.

두 다리로 '위태롭게' 서 있는 인간의 신체 구조를 들여다보면 어처구니

없을 정도로 엉성한 부분도 존재한다. 우리 몸의 구조를 관찰하면 몸통 가운데 부분에 해당되는 갈비뼈 12번부터 골반까지는 어떤 골격도 존재하지 않는 것을 알 수 있다. 직립을 선택한 입장에서 가장 중요한 것을 안정성이라고 본다면 "왜?"라는 생각이 들 정도로 엉성한 구조다. 심지어 이 부분은 신체를 똑바로 세우는데 가장 중요한 가운데 부분이다. 골격으로 이루어진 부분이 없기 때문에 우리가 직립을 유지하는데 가장 불안한 요인이 바로 이 부분이다. 해부학적으로 납득이 가지 않는 부분이기도 하다. 아마 지구인보다 더 고도로 발달한 외계인이 처음 지구인을 만나 연구한다면 가장 이상하게 생각할 부분이 아닌가 싶을 정도다.

뼈가 있는 곳이 유(有)라면 이 부분은 무(無)다. 튼튼하게 골격이 존재하고 그것을 기반으로 인대와 건, 근육이 존재한다면 골격 없이 근육과 장기만 존재하는 이 무기력한 공간(배 부분)과 척추처럼 튼튼한 골격이 존재하는 강력한 공간(등 부분)이 일대일로 줄다리기하듯 혹은 텐트의 로프처럼 장력을 유지하고 있는 것을 설명하기 위해서는 제 3의 포스가 필요하다. 이것이 직립의 원리를 설명하는 핵심 키워드가 될 것이다. 아무런 힘도 없는 이 공간에서 골격에 필적할 만한 힘으로 장력을 유지시켜주는 것은 과연 무엇일까?

> 정답 : 복압 (腹壓, Intra-Abdominal Pressure)

복압은 복부의 압력을 의미한다. 압력이라는 것은 단단하게 실존하는 구조물이 아니라 압력이 유지되고 있는 상태를 말한다. 복압이라는 것은 복부 내장을 압박하는 복강 내의 압력으로 일반적으로 숨을 크게 몰아쉬어 숨이 새어나가지 않도록 단단하게 잡아두어 복부의 압력을 인위적으로 높인 것과 같은 이미지다. 실제로 힘든 작업, 예를 들면 무거운 것을 들어 올릴 때 복압이 높아지며 배변이나 분만 등 복강 내의 것을 배출할 때도 복압이 반드시 필요하다. 그러나 생각해보면 너무나 어이가 없다. 거대한 콘크리트 구조물을 공기가 가득 찬 풍선으로 버텨내고 있는 형상이라니. 이 엉성하기 짝이 없는 형태는 대체 무어란 말인가? 심지어 이것은 우리가 알고 있는 복부 압력의 이미지일 뿐이다. 우리가 느끼지 못하는 지구 중심을 향한 압박인 중력과 체중의 관계에서는 이러한 압박을 버텨주거나 분산시켜주는 완충제로서의 복압에 대한 개념은 매우 희박하다.

평소에 중력을 체험할 수 있는 방법은 수영장이나 목욕탕에서 장시간 물속에 몸을 담그고 있다가 갑자기 밖으로 나오는 것이다. 실제 우리 몸에 작용하고 있는 중력의 힘은 평소 느끼지 못할 뿐 절대 약하지 않으며 우리가 지구상에 존재하는 한 중력과 기압에서 자유로울 수 없다. 이러한 전 방위적인 압박을 목뼈, 허리뼈, 골반뼈에만 책임을 전가시킨다면 일단 골격과 골격에 붙어 있는 근육의 힘이 약한 사람은 그만 반으로 접히게 될 것이다. 몸의 골격과 근육량이 적은 사람들이 여기저기서 중력 때문에 몸이 부서져버리는 것을 목격한다고 상상하니 아찔하다.

일상생활에서 복압을 만들어내고 유지해주는 것은 무엇일까? 바로 호흡이다. 무거운 택배 박스나 바벨을 들어 올릴 때 우리는 특별한 호흡을 하게 된다. 혹은 요가나 명상을 할 때도 매우 기술적인 호흡을 하는데 이렇게 하나의 테크닉으로서의 호흡은 평소보다 높은 복압을 만들기 위한 것이다. 이런 기술적인 호흡 중 생존과 관련된 가장 원초적인 것은 배변 시 화장실에서 사용하는 호흡이다. 기술적인 호흡은 강력한 몸의 텐션을 만들어 특별한 수행 능력을 만들지만 평소에 강력한 복압을 유지할 수도 없고 그럴 필요도 없다. 일상생활에서 필요한 복압은 무의식에 기반을 둔 직립과 몸의 균형을 유지하는 정도다. 우리의 일상적인 호흡은 이 정도의 복압을 만들어내기에 충분하다.

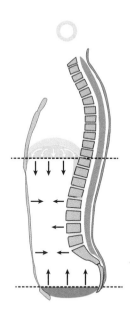

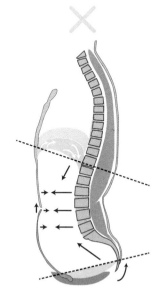

복압

척추

　　　　　　　척추동물들의 척추라는 구조물은 직립으로 보행하는 것은 물론이고 직립 자체에도 그다지 적합한 형태는 아니다. 그렇기 때문에 인류만이 완전한 직립과 직립보행을 위해 약간 다른 형태의 척추를 가지고 있는데 바로 척추의 만곡이다. 척추를 옆에서 보았을 때 S자 형태로 휘어진 모양을 말하는 것이다. 육상에서 네 발로 보행하는 척추동물들은 상반신과 머리의 무게를 앞발로 지탱을 한다. 인간은 골반을 중심으로 골반 위에 존재하는 머리와 양쪽 팔을 포함한 상반신 전체를 척추로 지탱하는 구조이며 머리의 위치와 무게로 인해 발생하는 중력의 압박은 네 발로 보행하는 척추동물들과는 다르다. 그와 같은 압박을 효율적으로 분산하기 위해 생긴 구조가 바로 S자 형태의 척추 만곡이지만 구조적으로 완전한 형태가 아니기 때문에 추간판 탈출증(디스크)과 같은 문제가 생기곤 한다. 인간의 척추는 수직으로 힘을 받는 구조이기 때문에 추간판 탈출증은 고질적이고 흔한 질환이지만 척추가 수평 구조이며 머리의 위치가 척추를 압박하지 않고 상체 대부분의 무게를 다리로 버티는 네 발 동물에게는 흔하지 않은 질환이다. 척추는 경추(목뼈), 흉추(등뼈), 요추(허리뼈), 천추(엉치뼈), 미추(꼬리뼈)로 구성되어 있으며 경추 일곱 개, 흉추 열두 개, 요추 다섯 개, 천추 한 개, 미추 한 개로 이루어진다. 대부분의 포유류는 목뼈가 일곱 개이며 나무늘보처럼 대사 작용이 극단적으로 낮은 동물들은 다르기도 하다. 포유류의 목뼈를 구성하는 유전자는 신경계와 세포 성징에도 영향을 미치기 때문에 이 유전자 정보가 달라지면 암에 걸릴 확률이 높아진다고 한다. 목뼈를 제외한 나머지 부분은 동물의 생태에 따라 약간씩 다르며 고양잇과 동물은 인간보다 많은 흉추와 요추를 가지고 있다. 고양이가 만들어내는 부드러운 몸놀림은 그 덕분이다.

척추를 이루고 있는 뼈는 각각 주요 기능을 가지고 있다. 경추(목뼈)는 머리를 받치는 기능을 한다. 척추에서 경추가 가지는 위치는 직립의 첫 단추를 끼우는 것이다. 우리 몸 전체의 중심선은 머리의 위치와 매우 밀접한 연관이 있는데 당연히 머리가 무겁기 때문이다. 척추가 두 발로 서 있기에 그다지 적합하지 않은 가장 근원적인 이유 또한 머리의 위치 때문이다. 머리의 위치 때문에 생기는 몸의 구조적 문제는 무척 어렵다. 왜냐하면 이것을 판단하는 데이터를 수집하는 부분이 시각과 뇌이기 때문이다. 시각에 의한 데이터의 신뢰도는 인간에게 거의 절대적이라고 해도 좋을 정도다. 그 이유는 시각의 주체인 눈(안구)이 뇌의 일부라는 학자들의 주장과도 연

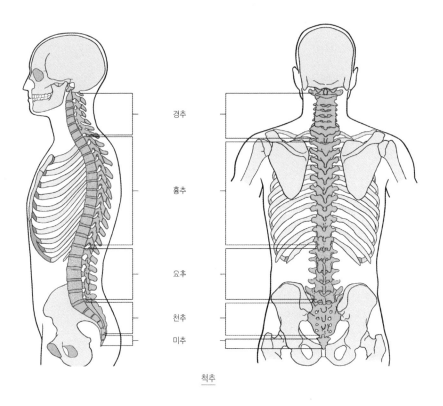

경추

흉추

요추

천추
미추

척추

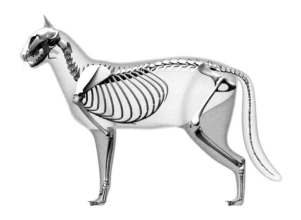

고양이 척추

관이 있다. 뇌와 가장 밀접한 관계에 있는 시각은 머리의 전면에 위치하며 이 위치는 머리의 위치에 따라 결정이 된다. 단적인 예가 거북목 증후군 같은 것이다. 스마트폰과 컴퓨터의 보급으로 급증한 이 증상은 시각의 집중도에 따른 머리 위치의 불균형에 관한 증상이다. 경추의 구조가 불안정해지면 몸 전체에 영향을 미치는데 경추와 마주하고 있는 것이 바로 흉추와 요추이기 때문이다.

흉추(등뼈)는 척추 전체의 구조 중에서 중간 부위를 차지한다. 총 열두 개로 구성된 흉추는 위에서 아래로 내려갈수록 뼈의 크기가 점점 더 커지는 구조다. 흉추는 척추를 이루고 있는 다른 골격과 달리 각각의 뼈에 갈비뼈가 붙을 수 있도록 관절면이 있으며 갈비뼈는 가슴을 둘러싸며 폐, 심장, 그리고 다른 내장 기관들을 보호한다. 심장이나 폐 등은 손상을 입으면 생명과 직결될 수 있는 매우 중요한 장기다. 그렇기 때문에 갈비뼈 자체도 견고하며 외부의 충격에 유연하게 대처할 수 있도록 각 뼈 사이에 완충지대도 있다. 흉추는 직립의 형태를 이루는데도 매우 중요한 역할을 한다. 흉추가 제대로 움직이지 못하면 흉추와 위아래로 마주하고 있는 목과 허리의 움직임에도 제약이 생긴다. 허리 통증은 물론 목의 통증이나 목과 연결된 어깨의 통증까지 유발하기도 한다. 또한 늑골(갈비뼈)을 지지해주는 기능도 있다. 생명을 보호하는 보호구를 거치하는 역할인 것이다.

요추(허리뼈)는 다섯 개의 뼈로 이루어져 있다. 요추는 직립한 인간의 움직임을 인간답게 만들어주는 역할을 한다. 하나의 진화를 만들기 위해 희생이 필요하다면 직립이라는 진화를 만들기 위해 가장 혹사당하고 희생하는 골격이 바로 요추다. 우리는 중력에 의해 몸에 발생되는 압력을 체중이라고 부르는데 요추의 가장 중요한 기능은 거의 대부분의 체중을 지탱하는 것이다. 그래서 요추는 척추를 구성하고 있는 뼈 중에서 가장 크기가 크며 좌우로 넓고 앞쪽이 뒤쪽보다 더 두껍고 윗면과 아랫면은 평평하거나 약간 오목한 모양이다. 전체적으로 안정성에 비중을 두었으며 몸통에서 만들어지는 대부분의 큰 움직임은 모두 요추에 기반을 둔다. 척추 진체를 기반으로 한 몸통의 움직임은 크게 굽힘과 폄, 옆 굽힘과 축 회전으로 나눌 수 있는데 사실 각각의 허리뼈 마디가 움직이는 범위를 수치적으로 측정하기는 어렵다. 성별에 따라 다르고 보통 나이가 어릴수록 더 유연하기 때문이다. 그런 것을 감안하더라도 척추라고 하는 구조물 자체가 직립 상태에서는 불안하기 때문에 몸통의 큰 움직임은 안정성에 기반을 둘 수밖에 없다. 요추에서 발생하는 통증이 허리 통증의 대표적인 것들이며 이런 통증은 좋지 않은 움직임으로 인해 요추의 구조가 나빠지며 생기는 경우가 많다. 대표적인 통증은 요추 추간판 탈출증이다. 사람들이 '디스크'라고 부르는 증상이며 총 다섯 개의 허리뼈 중 네 번째와 다섯 번째 사이에서 많이 생긴다.

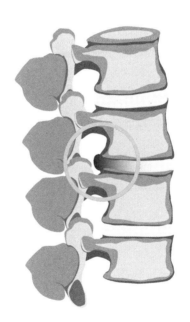

추간판 탈출증

천추(엉치뼈)와 미추(꼬리뼈)는 척추의 가장 아랫부분에 위치한 구조물로 보통 골반이라고 부르지만 정확하게는 척추의 일부이면서 골반의 일부다. 천추와 미추에는 여러 가지 근육과 인대, 힘줄이 부착되어 있으며 특히 미추는 체중을 지탱하는 중요한 역할을 하는 뼈들 중 하나다. 천추와 미추는 직립하여 서 있을 때보다 주로 앉아 있을 때 체중을 지지해주는 역할을 하며 미추는 몸을 뒤로 기울여 앉는 자세에서 체중을 부담한다. 꼬리뼈의 앞면은 골반저근과 연결되어 있어 배변을 하거나 배변을 자제, 조절하는 여러 근육들이 부착되어 있다. 특히 항문의 위치를 고정시키는 기능을 하며 배변 활동에서 매우 중요한 역할을 한다. 미추의 뒷부분은 엉덩이 근육의 일부가 부착되어 있어서 보행에도 중요한 역할을 한다. 직립과 보행은 이와 잇몸처럼 거의 하나라고 봐도 좋은 개념이기에 직립을 한다면 기능적인 움직임은 기본이라고 할 수 있다. 체중을 좌우로 주고받으며 걷는 움직임에는 대둔근(큰볼기근)이 매우 중요한 기능을 하며 앉았다가 일어서는 동작이나 허리나 다리를 쭉 펴는 동작에도 중요한 움직임을 만들어낸다. 천추와 미추의 구조가 좋지 않으면 항문 조임과 위치를 고정하는 기능이 떨어지면서 탈장이 생기기도 하며 대둔근의 위치와 기능이 불안정하면 엉덩이가 떠받들고 있는 허리의 근육에 통증이 발생할 수도 있다. 이렇듯 직립에 유리하지 않은 구조물인 척추의 바르지 않은 구조나 불안정성은 거의 대부분 요통(허리 통증)으로 발현된다.

한 발 더 통증 앞으로

'동물의 왕국' 같은 동물 관련 다큐멘터리를 보면 테마별로 동물들의 경이로운 능력을 비교해서 보여주곤 한다. 내가 가장 좋아하는 테마는 먹이사슬의 낮은 단계에 있는 약한 동물이 살아남기 위해 펼치는 기상천외한 필살기에 대한 테마다. 그중 가장 기억에 남는 동물은 피토휘 Pitohui라는 때까치딱새과에 속하는 새였다. 이 새는 1992년 파푸아뉴기니 Papua New Guinea에서 발견되었는데 이 작고 귀여운 새의 필살기는 놀랍게도 독(毒)이다. 치명적인 독을 가진 새라니 생각지도 못했다. 피토휘는 피부와 깃털에 바트라코톡신 계열의 신경독(神経毒)을 가지고 있는데 바트라코톡신은 남미의 원주민들이 독화살을 만들 때 사용하는 콜롬비아 독개구리도 가지고 있는 성분이다. 유사한 성분이지만 독개구리의 독처럼 사람을 즉사시킬 정도로 치명적이지는 않다고 한다. 피토휘가 가지고 있는 독은 다른 독을 가진 동물처럼 체내에서 생성되는 것이 아니라 독을 가진 딱정벌레과 곤충을 잡아먹으며 후천적으로 생기는 독이기 때문이다. 즉, 선천적으로

33

독을 가진 개체로 진화한 것이 아니라 필요에 의해 선택하여 진화한 종이라는 뜻이다. 섭식으로 만들어진 독이기 때문에 독에 내성을 가지고 있는 피토휘도 독을 가진 곤충을 과다하게 섭취하면 드물게 중독되는 경우도 있다고 한다. 아무런 무기도 없이 태어난 이 작은 새는 살아남기 위해 스스로 독을 섭취하고 독을 품은 위험한 존재가 된 것이다. 그렇다면 아무런 무기도 없이 태어난 인간이라는 동물이 문명과 사회의 보호 없이 자연계에 발가벗겨진 상태로 내동댕이쳐진다면 어떻게 될까? 먼 옛날 다른 동물들과 생존 경쟁을 하던 우리의 조상님은 어떤 선택을 했을까?

최종적인 몸의 형태를 직립으로 선택한 조상님들에게는 여러 가지 변화와 선택의 순간들이 있었을 것이다. 완벽하게 장점만 가지고 존재하는 생물은 없다. 강력한 포식자는 대개 먹이를 쫓아 먼 거리를 이동하기에 불리한 형태이고 번식률이 낮다. 포식자의 먹이가 되는 초식동물은 먼 거리를 이동하는 지구력과 높은 번식력을 갖고 있다. 이것은 생태계라는 균형을 유지하는 자연의 섭리이며 과거 동물의 한 종으로 삶을 살아가던 조상님들도 마찬가지였을 것이다. 다른 동물들과의 군비 경쟁에서 살아남기 위해 인류가 선택했던 것들은 너무나 많았을 것이기에 하나만 언급한다는 것은 말이 되지 않는다. 그러나 선택의 여지가 없는 원초적인 것을 하나 고르라면 역시 보행일 것이다. 보행을 하지 않는 포유동물은 없지만 직립보행을 하는 동물은 인간 하나다. 이것은 인간이 필연적으로 선택할 수밖에 없는 필살기였을 것이다.

직립이라는 형태는 다른 동물과 다른 여러 가지 요소를 만들어냈다. 시선의 변화, 뇌의 용량, 손과 발의 분리, 도구의 사용과 불의 발견 등 여러 가지가 있지만 무엇보다 오랜 시간을 이동하는데 유리했을 것이다. 직립은 보행할 때 내장 기관에 큰 변화를 주지 않고 체온을 일정하게 유지하는데 유리하다. 장거리를 이동하기에 유리한 형태이며 몇몇 보행에 관여하는 근육들은 그에 적합하게 변화하기도 하였다. 물론 모든 것이 먼 거리를 이동히기 위해 변한 것은 아니다. 인간은 그렇게 단순한 존재가 아니다. 그러나 인간의 많은 형태가 두 발로 먼 거리를 이동하기 위해서라는 이유를 가리키고 있다. 호모사피엔스가 그렇게 걸어서 아프리카 대륙을 벗어났고 지면이 존재하는 모든 곳에 인간이 존재하게 된 원동력이 되었다. 보행은 인류의 생존을 위한 필살기가 되었지만 걷는 존재로서의 인간에게 피할 수 없는 통증을 안겨주었다. 마치 독충을 잡아먹어 독을 가진 존재가 되었지만 스스로도 중독되곤 하는 파푸아뉴기니의 새, 피토휘처럼 말이다.

태초의 움직임

우선 조상님들이 선택하신 필살기인 직립, 즉 이족보행에 대해 이야기해보자. 다큐멘터리를 보면 정글이나 초원에 사는 초식동물은 출산과 동시에 몇 시간 지나지 않아 걷기 시작한다. 초식동물을 잡아먹고 사는 포식자에게서 볼 수 없는 이 '다급함'은 생존과 맞닿아 있다. 태어나서 눈도 못 뜨고 걸음마도 제대로 하지 못하면서 낑낑 기어서 어미젖을 찾아 먹는 포식자의 새끼와는 확연히 다르다. 냉정한 자연계에서 생존은 곧 효율성이고 포식자가 힘없는 초식동물의 새끼를 사냥하는 것은 비겁한 행위가 아니라 효율적인 행위다. 사냥에 좀 더 적은 에너지를 쏟는 것 역시 포식자의 생존과 관련되어 있다. 초식동물의 급한 보행 역시 효율성 때문이다. 포식자의 새끼처럼 느긋하게 눈뜨고 천천히 걷는 법을 배운다면 초식동물의 개체 수는 현저하게 줄어들 것이다. 누가 가르쳐주지 않아도 본능적으로 생존과 직결된 효율성을 따라 움직이는 것. 유전자에 아로새겨진 태초의 움직임은 단세포동물부터 자기 입으로 만물의 영장이라 떠드는 오만한 영장류까지 모두에게 탑재되어 있는 것이다.

효율성의 문제는 단순히 타고나는 문제에서 그치지 않는다. 앞서 언급했듯 모든 동물들은 생존을 위한 효율적인 움직임을 타고난다. 여러 가지 이유가 있겠지만 가장 궁극적인 이유는 '생존'이다. 그것을 뒷받침하는 근거는 당연히 적자생존에서 생존율을 얼마나 높여줄 수 있는가에 대한 통계다. 그러나 생존율이라는 통계가 아닌 뇌와 신경세의 구조적인 문제로 보면 약간 다른 이야기가 된다. 번식하여 생명을 갖고 움직이는 생명체를 단세포동물에서 고등동물까지 분류한다면 태어남과 동시에 성체와 다름없는 움직임을 보여주는 것은 단세포동물 쪽에 더 가깝다. 예를 들어 무성생식을 하는 짚신벌레나 아메바가 그러한데 이런 단세포동물은 세포분열이라는 직관적인 방식으로 번식하며 번식해서 다른 개체가 된 이후에는 성장과정이 거의 없다. 그렇기 때문에 그들이 가지고 있는 고유한 방식대로 바로 움직일 수 있는 것이다.

고등하다는 개념은 상대적이겠지만 비교 설명을 위해 선을 그어보자. 척추가 없는 무척추동물에 비해 척추동물인 어류부터 인간을 포함한 영장류까지는 성체가 되기 위한 시간이 필요한데 이것은 뇌와 신경계가 복잡할수록 더 오래 걸린다. 즉, 고등동물일수록 성장의 과정이 더 길다는 말이다. 고등할수록 몸의 구조와 기능이 복잡하고 신체 기관의 분화, 분업이 정교해지기 때문이다. 이런 고등동물의 생태는 신경계가 단순한 하등동물에 비해 형태가 확연히 복잡하고 합리적이다. 복잡한 형태를 가진 생태의 가장 기본적인 조건은 하등동물보다 복잡한 동작이 가능해야 하고 다양한 의사소통이 존재해야 한다는 것이다. 이런 과정은 본능을 계기로 시작되지만 결국 학습을 통해 완성된다. 단순한 신경계를 가지고 단순한 움직임만으로 생존하는 하등동물에게는 복잡하게 시간을 들여 학습해야 할 움직임이나 의사소통 같은 것은 거의 존재하지 않는다. 좀 더 복잡한 고등신경계를 활용하기 위해서는 학습이 필요하며 결코 빠른 학습이 이루어질 수 없다. 서양의 뛰어난 운동선수들이 우리나라 초등학생도 익숙하게 해내는 젓가락질을 접했을 때 처음 배우는 아이들과 다름이 없음이 바로 이런 이유다. 사슴이나 물소의 새끼들이 태어나고 얼마 지나시 않아 보행이 가능한 것은 생존과도 맞닿아 있지만 인간의 보행과 비교했을 때 좀 더 단순한 형태의 학습이기 때문에 가능한 것이라는 말과도 일맥상통하다.

인류의 걷기와 달리기는 생존을 위해 태초에 선택된 필살기다. 조금 더 기능적인 면을 추가한다면 수영 정도가 있다. 농경은 혁명이라 지칭할 만큼 인류의 역사에서 파격적인 대사건이었다. 농경의 역사는 길어 보이지만 그보다 수십, 수백 배 오래된 수렵 채집의 역사를 기준으로 보면 인류는 농사꾼이 아닌 사냥꾼에 더 가까운 존재다. 다른 동물에 비해 더 오랜 시간을 걷고 달리는 움직임에 적합한 변화의 최종 형태가 바로 직립보행인 것이다. 직립으로 인해 인류는 보행할 때 내장 기관이 규칙적으로 받는 타임 어택의 압박에서 해방될 수 있었으며 긴 거리를 이동할 때 어려운 부분인 일정한 체온을 위한 효율적인 순환기를 갖게 되었다. 사냥에 필수적인 넓은 시야도 얻게 되었고 도구를 사용하기에 적합한 손을 갖게 되었다. 포식자의 효율성, 초식동물의 효율성처럼 인간은 태어나 일정 기간이 지나면 특별하게 교육받지 않아도 직립을 하기 위해 스스로 노력하고 시행착오를 마다하지 않는다.

효율성을 추구하는 여러 가지 조건 중 으뜸은 바로 패턴이다. 비단 움직임뿐 아니라 단순 제조 공정이 반복되는 공장의 생산 라인에서 동일한 제품이 일괄적으로 생산되는데 가장 필요한 것이 바로 패턴화(化)다. 패턴은 단순할수록 유리하며 복잡한 사고를 요하는 창조적인 것과는 섞이기 힘들다. 호모사피엔스라는 고도의 동적신경망과 사고력을 가진 동물이 탄생되기까지 수많은 단세포적 패턴의 반복이 있었으리라는 것은 오래 생각하지 않아도 유추해볼 수 있다. "지금 창조적인 문명을 발전시키고 있는 인류에게도 패턴화된 움직임이 존재하고 있을까?"라는 의문에서 출발해보자. 일반적으로 신체의 모든 움직임은 뇌에서 내린 명령을 신경계에서 전달받아 구현해내는 것으로 알려져 있다. 그런데 이 상식을 뒤집는 실험이 있었다. 우리가 일상적으로 수행하는 각종 사고력에 입각한 복잡한 동작이 아닌 걷기나 뛰기 같은 단순한 반복 동작은 뇌에서 내린 명령을 받아 수행하는 것이 아니라 척수신경 자체에 프로그래밍되어 있는 동작이라는 이론이 그것이다. 척수는 뇌와 말초신경의 다리 역할을 하는 신경계로 운동신경과 감각신경이 모두 모여 있는 곳이다. 뇌에서 아래로 내려가는 운동신

어류

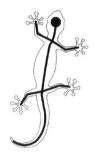

파충류/양서류

포유류

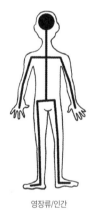

영장류/인간

척추동물의 신경계

경은 모든 근육의 운동 기능을 담당하고 반대로 신체말단부의 감각을 느끼는 감각수용기에서 위로 올라가는 감각신경은 우리 몸 전체의 감각을 담당한다. 일부 자율신경 기능을 담당하는 신경다발까지 포함한다면 그야말로 우리 몸의 모든 움직임과 감각은 뇌라는 연산 처리 장치와 메모리, 척수신경이라는 네트워크로 제어되는 거대한 컴퓨터와 같다. 복잡하지만 철저하게 제어된다고 생각했던 컴퓨터는 종종 유저User가 알 수 없는 에러Error가 생기면서 당혹스럽게 만들곤 하는데 이것은 제어되지 않고 자동으로 패턴화되어 실행되는 여러 가지 시스템 구동 파일 때문이다. 시스템 구동 파일은 일반적으로 인터넷 쇼핑이나 문서 작업, 게임 정도를 즐기는 대다수의 컴퓨터 사용자에게는 미지의 영역이고 분석할 수 없는 패턴의 영역이다.

우리의 몸을 관통하면서 뇌의 명령을 구석구석 전달하는 네트워크는 바로 척수다. 그래서 교통사고나 낙상 등을 당해 척수가 끊어지면 끊어진 척수 아래로는 몸을 움직이지 못하는 식물인간이 되어버린다. 이 상태는 근육이나 뼈가 상하지는 않았지만 뇌의 "움직여라"라는 명령을 근육이나 인대에 전달할 수 없는 통신 두절 상태라고 이해하면 된다. 그러나 현대에 여러 실험을 통해 척수가 뇌에서 내리는 명령을 단순하게 전달만 하는 신경조직이 아니라 스스로 보행의 패턴을 조절할 수 있는 중추가 존재한다는 것을 발견했다.

물리치료학에는 C.P.G.Central Pattern Generator(중추 패턴 발생기)라는 것이 있다. 말 그대로 중추에서 어떤 종류의 패턴을 발생시킨다는 뜻을 가진 단어다. 영국의 신경생리학자이자 조직학자이며 1932년 노벨생리학·의학상을 수상한 찰스 스콧 셰링턴Charles Scott Sherrington의 '고양이 척수 분절 운동 실험'에 의해 처음으로 발견된 개념이다. 고양이를 수술해서 뇌와 척수의 연결을 인위적으로 분리시켜 놓는다. 인간과 마찬가지로 고양이는 전혀 움직일 수 없는 상태가 된다. 처음에는 고양이에게 보행기를 착용시킨 후 트레드밀(러닝머신)에서 걷기를 시킨다. 척수신경이 끊어진 고양이는 움직이지 못하기 때문에 발판이 돌아가는 동안 아무런 반응을 보이지 않는다. 그러나 체중을 지지한 상태에서 발판(러닝머신의 롤러)이 움직이면 고양이는 조금씩 보행에 반응을 하고 나중에는 발판이 돌아가는 동안 보행할 수 있게 된다. 이와 같은 발 디딤 동작은 척수신경의 뿌리에 해당되는 후근을 절단해도 일어났으며 척수신경의 상부와 말초신경에서 지속적인 동작에 대한 명령을 입력시키지 않아도 지속적인 운동 출력을 생성할 수 있었다. 이 실험은 뇌에서 발생한 보행 명령 신호가 손상된 척수 때문에 전달이 되지 않아도 기본적인 패턴의 보행은 가능하다는 것을 증명하기 위한 실험이었다. 좀 더 복잡한 동작이 요구되는 목적지향성 보행은 더 많은 균형과 자세 유지가 필요하기 때문에 총체적인 긴장성 신호가 필요하다. 때문에 이 실험은 단순한 보행 패턴은 뇌와 중추와는 큰 상관이 없다는 것을 입증한 실험이다. 중추 패턴 발생기는 척수반사(무릎을 망치로 때리면 발이 올라오는 것이 대표적인 척수반사 반응이다)와 유사하게 척수회로의 선천적인 반응이다.

실험 시 척수가 제거된 고양이가 보여준 보행 패턴은 정상적인 고양

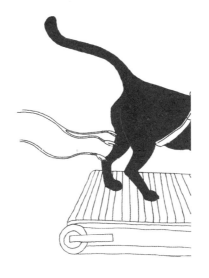

고양이 척수 분절 운동

이의 보행 패턴과 다르지 않았다. 이미 척수의 성장을 마친 사람은 이러한 발 디딤 동작이 불가능할지라도 아동은 보행 패턴 생성이 가능하다. 그리고 신생아 대부분은 움직이는 트레드밀에서 발 디딤 동작을 보여준다. 1996년 미국의 저명한 학술지 〈신경생리학저널Journal of Neurophysiology〉에 "Contribution of hind limb flexor muscle afferents to the timing of phase transitions in the cat step cycle"이라는 제목으로 기재된 논문을 통해 단순한 보행 패턴은 척수 자체에서 생성된다는 결론을 내리게 되었다. 단, 목적이 더 복잡할수록 신체의 균형과 자세를 유지하기 위해 뇌로부터 긴장성 신호를 요구받고 인간의 이족 보행은 동물보다 더 많은 균형과 지세를 요구한다. 아동과 신생아의 동일한 트레드밀 실험을 통해 인간도 동물과 유사하다는 것을 입증했다.

이처럼 보행은 가장 기본적인 움직임 패턴의 근간이며 동물로서의 인간. 그 최소한의 증명이다. 앞서 보행의 효율성을 적자생존에 빗대어 설명했지만 좀 더 생물학적인 시각으로 보자면 복잡한 신경계를 가진 고등동물일수록 패턴을 이루는 보행을 습득하는 시간이 길어진다고 말했다. 신생아가 누워 있다가 머리를 가누고 몸을 뒤집고 네 발로 기고 두 발로 버티고 걷는 일련의 과정은 원시신경계에서 고등신경계를 가진 동물로 진화하는 모습을 보여주는 축소판이다. 일상생활을 영위해 나가면서 익숙하게 하는 무수한 동작에서 보행이 차지하고 있는 비율은 상당히 크며, 그 외에는 반복 학습이라는 과정을 거친다. 우리가 일상적으로 하는 동작들은 약 1만 번에서 2만 번 정도 반복을 해야 대뇌에 학습이 되어 그야말로 눈감고도 할 수 있는 동작이 된다. 처음에는 숟가락을 쓰지 못하지만 나중에는 젓가락질 같은 복잡한 동작도 일상적인 동작이 된다. 젓가락질을 잘못 배운 어른이 바른 젓가락질을 다시 배우는데 어려움을 겪는 건 이미 학습된 동작이기 때문이다. 이런 반복 학습을 통한 동작들은 사회가 발달하고 일상생활이 복잡해지고 각종 스포츠에서 요구되는 동작이 복잡해지면서 빛을 발한다. 그렇기 때문에 스마트폰 메신저 앞에서 쩔쩔 매는 어른이나 처음 접하는 스포츠 동작에 쩔쩔매는 젊은이나 이차적으로 학습하는 동작을 구현한다는 점에서 다르지 않은 인류다. 하지만 보행 앞에서 쩔쩔 매는 사람들은 없다. 보행을 어려워하는 사람은 몸이 불편한 것이다. 두 발로 걷게 된 인류의 시작이기 때문이다.

직립보행

원초적인 인류의 보행이 어떠했는지는 알 수 없지만 현대에는 여러 가지 보행의 테크닉과 개념이 존재한다. 익숙하게 걸어 다니는 사람들이 대부분인데 보행에 테크닉과 개념이 존재한다는 것이 의아할 수도 있겠다. 하나하나 이야기하기에는 너무나 광범위하기 때문에, 병원 임상의 기준으로 단순화해서 보면 보행의 의미는 일반인과 환자를 나누는 기준일 뿐이다. 보행의 개념이 다양하다는 것은 현대에 와서 잘 걷는 것에 대한 정의가 사분오열될 만큼 걷는 방법을 잊어버렸다는 의미이기도 하다. 근대에 들어 발달된 탈것 때문인지 신발 때문인지 모르겠지만, 여러 방면에서 주장하는 기술적인 부분을 제외한 보행의 원리를 이야기해보자.

보행이라는 행위를 들여다보면 참 아슬아슬하고 예술적이다. 네 다리로 서 있는 안정성에 비하면 두 다리로 중심을 잡고 서 있는 직립도 아슬아슬한 구조인데 두 다리만으로 걷고 달린다는 것은 분명 고등(高等)한 움직임에 틀림없으며 네 발로 걷는 동물 입장에서는 거의 묘기에 가까운 움직임일 것이다. 보행에는 여러 가지 요건이 필요하지만 그중에 선행되어야 될 가장 기본적인 요건은 바르게 선 자세와 몸통 흔들기Sway다. 말장난 같지만 보행의 첫 단계는 일단 되도록 바르게 서는 것이고 두 번째 단계인 몸통 흔들기를 통해 추진력을 얻는 것이다. 직립은 앞서 열심히 설명을 했으니 보행에 필요한 두 번째 요소인 추진력에 대해 이야기해보겠다.

인체라는 유기체가 보행이라는 행위로 이동하기 위해서는 추진력이 필요하다. 내연기관은 연료를 불태워 추진력을 얻지만 인체는 몸통을 불태워 추진력을 얻는데 그것이 바로 몸통 흔들기다. 몸통을 흔드는 유기적인 움직임으로 얻는 추진력의 프로펠러 역할을 하는 것은 바로 팔이다. 우리가 걸을 때 앞뒤로 흔드는 팔 말이다. 물론 몸통을 흔들지 않고 다리로만 걸을 수도 있지만 연료 없이 돌아가는 엔진처럼 빨리 과열되어 체력을 빨리 소진시키고 장기화되면 고장이 나서 여러 관절에 통증을 일으킨다.

통증이 없는 사람의 보행 과정은 다음과 같다.

1 _____ 골반이 앞으로 기울어지며 무게 중심이 이동한다.

2 _____ 장요근-흉추-견갑의 움직임으로 추진력이 생긴다.

3 _____ 다리가 따라 나간다.

4 _____ 1~3을 반복한다.

추진력을 얻기 위해서는 2번이 유기적으로 잘 유지되어야 하고 자연스러운 '팔 흔들기'가 되어야 한다. 가방을 메거나 스마트폰을 들고 걸으면 자연스러운 팔 흔들기가 되지 않는다. 그래서 몸통 흔들기가 자연스럽지 않거나 아예 없는 경우도 많아 보행 패턴이 무너진 상태로 걷는 모습을 자주 본다. 잘 모르겠다면 패션 모델의 '캣 워킹'을 생각하면 이해가 될 것이다. 캣 워킹은 무척 과장된 보행이지만 보행의 순서를 관찰하기에 좋은 움직임이다. 하지만 평소에 그렇게 보행하면 건강에도 좋지 않고 주변 사람들도 이상하게 생각할 것이다. 팔 흔들기에서 몸통 흔들기로 생겨난 추진력은 단순히 보행에 필요한 연료로만 사용되는 것이 아니라 등과 골반을 타고 다리와 연동되면서 걸을 때 무릎이나 발목으로 실리는 체중을 분산시켜 준다. 그래서 팔을 움직이지 않으면 몸통 흔들기가 줄어들고 몸통과 허리, 다리의 부담이 커져서 일반적인 보행보다 두 배, 개인 체력에 따라 네 배까지 빠르게 지치게 된다. 달리기를 할 때 팔을 움직이지 않고 달리면 비효율성을 넘어 불편함을 느끼게 된다. 비효율성에서 끝나면 다행일 정도로, 손이 묶인 부자연스러운 보행은 여러 가지 통증을 유발한다.

올바른 보행은 어떤 것일까? 사실 올바른 보행이라는 것은 없다. 우리가 보행을 하는 지면은 비포장도로나 흙길일 수도 있고 동네 공원이나 학교 운동장의 우레탄 트랙일 수도 있다. 각각 다른 환경을 보행하는 방법은 모두 달라야 한다. 달라진 환경을 걷거나 일정한 환경이라도 걷는 것과 달리는 것에 따라 우리 몸의 주행 모드가 달라지기 때문에 올바른 보행이라는 기준 자체가 성립되지 않는다. 그래서 평지를 걷는다는 가정 하에 '자연스러운' 보행에 대해 이야기하겠다. 많은 책이나 사진에서는 걷거나 달릴 때 발뒤꿈치부터 착지하라고 설명한다. 발뒤꿈치부터 지면에 닿아서 발을 구르는 보행은 자연스러운 보행이 아니라고 생각한다. 맨발로 걸을 때나 운동선수들의 보행 패턴을 측정해보면 기능적인 발 구름은 발뒤꿈치만 지면에 닿기보다는 발 중간과 발뒤꿈치가 같이 지면에 착지한 후 앞부분 발볼로 밀고 나가는 것을 볼 수 있다. 엄지발가락부터 세 번째 발가락이 체중의 80% 이상을 지탱하고 네 번째 발가락과 다섯 번째 발가락은 나머지 체중과 균형을 담당한다. 그래서 맨발로 걷거나 달릴 때 뒤꿈치부터 지면에 닿으면 족저근막에 부담이 생기며 발바닥과 발뒤꿈치가 아플 수 있다.

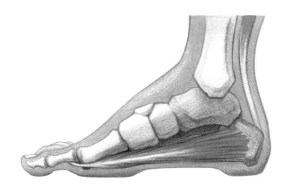

족저근막

발뒤꿈치부터 닿는 발 구름은 쿠션이 좋은 신발을 신고 아스팔트처럼 딱딱한 바닥에서 걷기에 적합한 보행법이다. 그러나 이 보행법으로 오랜 시간을 걷거나 뛰면 정강이가 당기는 문제가 생긴다. 쿠션 운동화를 신고 트레드밀(러닝머신)에서 오래 걸을 때나 마라톤에서 자주 발생하는 정강이 부목Shin Splint 같은 근육 통증은 이런 발 구름이 정강이 근육에 많은 부하를 주기 때문이다. 달리기에 취미가 있는 사람들 중 디스크(추간판 탈출증)가 생기는 사람들이 있는데 무거운 것을 드는 웨이트 트레이닝을 하지도 않았는데 왜 디스크에 문제가 생기는지 의아해한다. 반드시는 아니지만 기본적으로 보행은 체중 전체를 몸의 중심에 두고 좌우로 탁구를 치는 것과 같다. 좋은 패턴으로 체중을 잘 분산시키지 않으면 아무리 신체 구조가 좋아도 척추와 요추에 자극이 가지 않을 수 없다. 좋지 않은 보행 패턴으로 인해 디스크가 생겨도 이상한 일은 아니다. 그렇다고 지금 당장 신발을 벗어 던지고 보행 패턴을 바꾸면 발바닥이나 하체 근육이 급하게 바뀐 패턴에 적응하지 못하고 또 다른 통증을 만들어낼 것이다. 바른 보행은 맨발이라는 감각기관을 잘 사용하여 달리면서 발생하는 압박을 몸에 잘 분산할수록 완성에 가깝게 된다. 차근차근 시간을 갖고 발바닥을 인지하면서 걷는 방식으로 바꿔 나가며 바른 보행으로 한 발 다가가도록 하자.

걷고 달리다

누구나 할 수 있지만 잘하기 어려운 것이 걷고 달리는 것이다. 인간의 몸은 서고 걷고 달려야 하는데 늘 일하고 공부하느라 힘들게 책상 앞에 앉아만 있어서 더 어려워지는 것이다. 바르게 걷고 달린다는 것은 무엇일까? 매년 새로운 관점이 나오기 때문에 의문에 마침표를 찍을 수는 없지만, 네 발에서 두 발로의 변화는 머리 위치와 호흡이 변했다는 관점에서 엄청난 변화라고 할 수 있다. 직립에서 걷고 달리는 것은 더 많은 뇌신경의 에너지와 감각의 유연함이 필요하다. 한 사람의 독립된 개체로서 보행은 중요한 의미를 갖는다. 하지만 우리는 보행을 연습하거나 제대로 배우지 못한 채로 생활하고 있다. 걷는다는 것에 대한 옳고 그름의 기준이 없기 때문이다. 걷기가 원활한 운동이 되기 위해서는 걸을수록 몸의 사용이 원활해져야 하는데 그러기 위해서는 우선 몸의 대칭이 중요하다. 하지만 현대를 살아가는 우리는 대부분 몸의 대칭이 무너져 있다. 그다음은 걸을 때 몸의 흔들림이 체중 분산으로 잘 이어져야 한다. 잘못된 보행의 전형은 무륜으로 땅을 팍팍 찍으면서 걷는 보행법이다. 사실 걸을 때 발뒤꿈치부터 지면에 닿거나 발 중간부터 닿거나 크게 상관은 없다. 맨발로 걸을 때는 발바닥 중간부터 닿으며 걷는 것이 맞고 신발을 신고 딱딱한 아스팔트를 걸을 때는 신발의 쿠션을 활용한 보행도 중요하다. 이것은 훈련이 되었나 되지 않았는가의 차이일 뿐이다. 요점은 자기 체중을 지면에 부드럽게 굴려서 몸의 무게를 분산시키고 그때의 흔들림을 걸을 때 나가는 방향으로 자연스럽게 밀어주는 것이다.

달리기는 발 한쪽을 지면에서 떼고 체공하는 시간이 있어서 두 발이 다 공중에 뜨는 타이밍이 있고 걷기는 발 한쪽이 반드시 땅에 닿아 있다. 달리기는 공중에 떠 있는 타이밍 때문에 운동량이나 체중이 하체에 실리는 압력이 걷기보다 3~4배나 증가하며 동작도 달라진다. 어쨌든 좋은 걷기가 좋은 달리기의 바탕이 되는 것은 당연하다. 요즘은 보행 패턴의 분석은 대학이나 연구소에서 하고 있으며 과거 눈으로 분석하던 것이 아닌 압력을 파악하여 보행 패턴을 분석하는 장비가 도입되어 객관적인 데이터를 근거로 연구하고 있다. 각각의 보행은 모두 다르다. 보행이라는 동작은 편하고 합리적으로 체중을 분산하기 위해 최대한 보상작용을 하면서 이루어지는 동작이다. 그렇기 때문에 사지가 멀쩡한 정상인보다는 사지가 하나 없거나 무게 중심이 깨졌거나 혹은 과체중이거나, 어떤 약점이 있는 사람들이 걸을 때 어떻게 보상작용을 하는지를 잘 관찰해야 한다. 걸을 때 자연스러운 흔들림이 매우 중요하기 때문에 흔들림을 관찰 대상 1호라고 보고 그 흔들림에 따라 견갑대나 목의 움직임이 어떤지 관찰을 하는 것이 좋다.

원래 보행에서 자연스러운 체중 이동은 무게중심의 이동을 통해 만들어진다. 발이 먼저 앞으로 나아가서 지면을 밟으면서 생기는 것이 아니라 몸이 기울어지면서 먼저 체중이 이동하고 발이 뒤따라가며 '걸음'이 생겨난다고 인지해두면 몸 흔들기와 흐름을 보는데 도움이 된다. 어린아이가 걷는 모습을 관찰해보면 골반이 기울어지며 몸의 중심을 잡고 넘어지지 않기 위해 발이 나가는 것을 볼 수 있다. 이런 보행이 자연스러운 보행에 가까운 보행법이다. 확실히 성인의 보행보다 유아의 팔다리 움직임에서 자연스러움이 느껴진다. 아이들의 보행이 좋다는 것보다 자연스럽고 편하다는 이야기다. 걷기는 일상생활의 동작에 가깝기 때문에 긴장하고 걸으면 오히려 경직되고 통증이 느껴질 수 있다. 바르고 편안한 걷기가 무엇인지 고민해야 한다. 걸을 때 머리와 견갑대의 흔들림이 몸통을 타고 다리의 움직임과 원활하게 연동되어야 한다.

걷기가 일상생활을 영위할 때 활동지수의 끝이라 본다면 일상생활과 운동의 경계는 달리기가 될 것이다. 달린다는 행위는 아주 단순한 듯 보이지만 어떤 식으로 달리느냐에 따라 일상생활과 운동의 경계에서 고난이도 운동이 될 수도 있다. 바르게 달린다는 것은 무엇일까? 달리기에는 양쪽 발이 공중에 떠 있는 체공 타이밍이 움직임에 포함된다. 지면을 차고 한 발로 밀어서 공중에 뜨는 시간이 생기고 반대로 착지할 때도 한 발로 착지해야 한다. 발이나 하체의 부담은 걷는 것에 비해 3~4배나 늘어난다. 역도나 파워 리프팅에서도 최고 무게로 갈수록 균형과 대칭이 중요하다. 균형과 대칭이 바르지 않으면 미세한 불균형에도 힘이 새어나가며 들어 올릴 수 없게 된다. 달리기에서도 공중에 떠 있는 체공 타이밍과 앞으로 달려가는 관성 때문에 대칭이 중요하다. 발 구름과 무릎, 골반, 몸통의 흔들림, 팔 흔들기 등이 같은 방향으로 가기 위해 직선으로 움직이지 않으면 보상작용이 생기고 몸이 흔들리고 달리는 효율이 떨어지며 힘도 새어나가기 때문이다. 이렇게 효율을 떨어뜨리는 동작들은 몸에 보상을 요구하고 특정 부위가 일을 더하거나 과하게 긴장하고 누적되면 부상으로 이어진다.

많은 사람들이 달리기에서 팔 흔들기를 할 때 앞뒤 직신으로 움직이는 경우는 별로 없다. 심지어 발의 방향과 무릎의 방향이 다르게 움직이는 경우도 많다. 달리기는 전신을 쓰는 운동이기 때문에 전신의 밸런스가 모두 관여한다. 달리기를 할 때 이유 없는 복부의 결림이나 무릎, 고관절 통증을 겪은 적이 있을 것이다. 모두 균형과 관련이 있다. 좌우 근육의 대칭도 매우 중요하다. 달리기에서 패턴을 대칭적으로 교정할 때는 양쪽 허벅지의 두께와 엉덩이 근육의 크기, 그리고 광배근의 대칭 세 군데를 본다. 사실 일반적인 달리기는 주법과 관계없이 이 세 곳의 근육 불균형을 맞춰주면 잘 달릴 수 있다. 여기에 양쪽 무릎 방향과 발의 방향까지 잘 맞는다면 더욱 좋다.

일반적인 보행에서 달리기까지가 인간의 본질에 가까운 움직임이다. 이 움직임이 원활하다면 건강하게 움직인다고 봐도 무방할 것이다. 그러나 안타깝게도 우리의 신체는 종종 이 본질에서 멀어진다. 두 발로 걷고 달리게 만들어진 우리의 몸이 걷고 뛰는 것 때문에 통증을 유발하기도 한다. 그것은 걷고 뛰는 행위가 잘못되어서가 아니다. 그럼, 걷고 뛰는 자연스러운 행위에서 멀어져 통증과 만나게 된 신인류의 이야기를 계속 해보자.

페인&호모사피엔스, 요통이라는 원죄

PART 2

토즈을 향한
목직임

가장 어려운 움직임

여러 직업을 거쳤던 필자의 경험담이다. 오랫동안 영화나 게임에 들어가는 컴퓨터 그래픽에 관련된 일을 했었는데 그중 모션 캡쳐Motion Capture라는 기술이 있다. 배우가 몸 관절에 적외선을 반사하는 특수한 센서를 부착한 후 연기를 하는 것이다. 모션 캡처 카메라에 의해 촬영된 이 데이터를 영화나 게임의 캐릭터에 입히면 캐릭터는 배우의 움직임을 그대로 재현하여 사실감 넘치는 움직임을 만들어낸다. 이 기술을 이용해 만든 가장 유명한 캐릭터가 〈반지의 제왕〉에 등장하는 '골룸'이다. 한 대에 수천만 원을 호가하는 카메라로 초당 240프레임(영화가 초당 24프레임이니 영화 필름의 무려 열 배다)의 모션 데이터를 촬영하여 만드는 캐릭터의 움직임에서 가장 중요한 것은 배우의 연기력이다. 대사로 감정을 처리하는 필름 촬영과 다르게 모든 감정이나 상황을 오직 움직임으로 표현해야 하기 때문에 배우의 표현력이 가장 중요한 작업이다. 10년을 넘게 일하면서 온갖 캐릭터와 그에 해당하는 움직임을 촬영했다. 아크로바틱한 난이도의 어려운 움직임

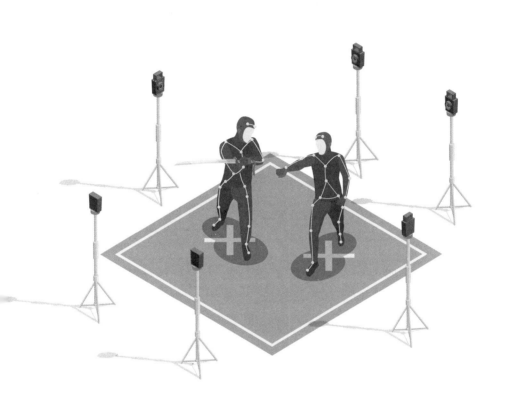

모션 캡쳐

도 많이 촬영을 했지만 배우들이 말하는 가장 어려운 움직임은 의외의 것이었다. 바로 '가만히 서 있기'다. 독자 여러분도 거울을 보며 한 번 해보길 바란다. 움직이지 않고 가만히 서 있기는 공연이나 연기를 위해 훈련 받지 않은 사람이 하기란 거의 불가능에 가깝다. 아이러니하게도 엄청나게 정교한 모션 카메라로 촬영된 '가만히 서 있기'는 그 어떤 움직임보다도 많은 움직임을 만들어낸다. 대체 왜 인간은 가만히 서 있을 때도 움직이는 것일까?

발로 지면을 딛고 서 있는 동물들은 중력에 저항하고 균형을 잡기 위해 자동으로 작동되는 몸의 수많은 시스템을 동원한다. 중력이라는 힘은 평소에 잘 느끼지 못하기 때문에 어느 정도의 압력으로 우리에게 작용되고 압박하는지 알 수가 없다. 바닥이 불안한 수상 스포츠나 빙상 스포츠를 할 때 몸은 격렬하게 요동치며 균형을 잡기 위해 노력한다. 무중력 상태에서는 훨씬 여유 있게 균형을 잡을 수 있겠지만 1중력의 힘은 지구상에 존재하는 가장 강력한 힘 중 하나이기 때문에 긴장을 늦출 수가 없다. 그나마 네 발로 서 있는 동물들은 사방으로 체중을 분산시키기 때문에 두 발로 서 있는 인간에 비해 지면에 서 있기에 편하다. 우리가 가만히 서 있을 때도 몸은 지면 위의 중력에 저항하며 균형을 잡기 때문에 가만히 있지 못한다. 그래서 우리는 움직이지 않고 가만히 있을 수 없는 존재다. 의지와 상관없이 서 있기 위해, 끊임없이 많은 감각과 근육과 신경 등을 동원하여 움직이고 있는 것이다. 그런 면에서 서 있다는 것은 몸 전체를 이동하는 운동성을 갖지는 않지만 앉거나 누워 있는 것에 비하면 꽤 격렬한 움직임일지도 모른다. 그렇기 때문에 모든 움직임의 출발점은 서 있는 것이라고 보아야 한다.

서 있는 것을 움직임으로 본다면 직립과는 개념적으로 구분해야 한다. 직립은 이견의 여지가 없는 호모사피엔스의 형태다. 두 발로 서 있고 그로 인해 손과 발이 분리된 인간의 형태 말이다. 서 있는 것은 뇌의 명령에서 자유로운 가장 기본적인 움직임인 보행의 바로 전 단계로서 우리 스스로 인지하지 못하는 미세한 조정과 움직임으로 균형을 잡는 행위라고 개념을 잡아야 할 것이다. 서 있는 자세가 바르지 못하면 언제든 통증과 만날 수 있다는 이야기다. 이제부터 네 발에서 두 발로 일어났기에 얻은 원죄와 같은 통증에서 조금 더 나아가 두 발로 서서 움직이기 때문에 생겨난 통증의 연대기와 만나보도록 하자.

바른 정렬이 우선이다

세상에 쓸데없이 움직이는 동물은 없다. 각자 생존이라는 전제 하에 최적화된 움직임을 만들고 그것은 생존과 직결되는 운동량이기 때문에 성체가 된 동물들은 움직임(활동량)과 휴식을 본능적으로 생존에 유리하게 분배한다. 그런 면에서 보면 인간이란 동물은 생존을 위협할 만큼 너무나 움직이지 않거나 쓸데없이 많이 움직이는 양극단을 달리는 이상한 활동량을 가진 동물이다. 생존에 별 도움이 되지 않는 이런 패턴들은 문화정서적인 면에서는 당연히 다른 의미를 가진다. 예술혼을 불태우며 각혈하는 것을 마다하지 않고 불멸의 작품을 남긴 예술가들은 의미를 따지기 힘든 가치가 있다. 그러나 우리는 심미적인 가치를 음미하는 삶보다 대개 통증 없는 삶을 원하기 마련이다. 움직이지 않는 인간에게 몸이 뒤틀어지는 형벌을 내리는 것은 중력이다. 그리고 역치 안에서 견뎌낼 수 있는 통증이 여기에 숟가락을 얹는 것이다. 지구를 구성하고 있는 요소 중에서 우리 몸에 막대한 영향력을 행사하는 것은 중력이다. 중력 못지않게 엄청난 영향력을 행사하는 것이 하나 더 있다. 과연 무엇일까?

작은 움직임이 잘못되어 손상이 생겼다고 가정해보자. 이것이 역치 안쪽이라 통증을 느끼지 못한다고 해도 긴 시간이 흐르면 필연적으로 통증과 만나게 된다. 역치 안에서는 괜찮다는 말을 반복하는 것 같지만 여기에 큰 변수로 작용하는 명제가 "시간이 흐르면 우리 몸의 역치도 변한다"다. 나이 들어도 스무 살 때의 컨디션과 회복력을 유지할 수만 있다면 좋겠지만 모두가 다 알 듯이 그렇게 되지 않는다. 움직이지 않아서 생기는 고통의 반대편에 존재하는 통증은 '운동 손상 증후군'이다. 너무 많이 움직여서 생긴다고 생각하겠지만 사실 급하게 움직여서 오는 경우가 훨씬 더 많다. 운동 손상 증후군의 원인은 증후군인 만큼 매우 다양하지만 일종의 교통사고와 같이 갑작스러운 이벤트가 아니다. 특정 동작을 오랫동안 반복하거나 특정한 무게를 들어 올리거나 특정 거리를 이동하거나. 어떤 경우에도 생길 수 있지만 근본적인 원인은 결국 과하게 사용하거나 잘못 사용하거나 둘 중 하나다. 여기에 화룡점정을 찍는 것은 '급'하게 사용하는 것이다. 인간의 움직임에는, 특히 특정 스포츠나 운동에는 완숙함이나 익숙함이 필요하다. 과한 사용과 잘못된 사용은 완숙이라는 단어와 연관이 깊다. 잘 알아도 우리 몸에서 잘 아는 동작을 적절하게 패턴화해서 습득하지 못한다면, 그리고 그 상태에서 오랜 시간 동안 무언가를 하면 아주 당연히 데미지가 몸에 누적되고 역치의 기준에 문제가 생긴다. 움직이면서 생기는 통증의 원인은 과한 사용이나 잘못된 사용이고 원인의 뿌리는 급한 마음, 급한 움직임이다. 시작한지 3개월, 6개월 지났는데 스스로 원하는 운동 결과와 자신이 꿈꾸는 모습은 10년 이상 해야 나올 수 있는 결과물을 원한다. 과도한 의욕과 욕망이 부른 결과는 간과하기 쉬운 작은 통증에서 시작되곤 한다. 오랫동안 좋은 몸을 유지하기 위해서는 이런 작은 몸의 신호에 귀를 기울이고 신경을 써야 한다. 몸의 기본적인 바른 움직임을 관리하고 작은 부상이라도 제대로 치료하는 습관 외에는 답이 없다. 그리고 그 이전에 운동과 퍼포먼스를 위해서 자신의 출력을 높일 수 있는 충분한 훈련 시간과 그 출력을 견딜 수 있는 몸의 내구성을 배양하는 시간도 필요하다. 여러모로 시간이 필요한 것이다.

인간은 기본적인 움직임을 넘어 특정한 스포츠의 퍼포먼스를 위해서 반복 훈련, 반복 학습을 한다. 그러나 어떤 기본적인 움직임이든 특정한 스포츠 퍼포먼스든 중요하게 인지 학습되어야 하는 것이 있다. 바로 센터 오브 그래비티Center Of Gravity다. C.O.G.는 중력에 대한 신체 중심선, 중심점을 말하며 전체적인 움직임을 원활하게 만들기 위한 매우 중요한 요소다. 중심을 인지하는 것은 운동 능력을 통해 극대화될 수 있지만 이것 또한 체형에 따른 중심점에서 출발한다. 바른 체형의 중심점에서 출발하지 못한 퍼포먼스는 연료가 새어나가는 엔진처럼 100%의 출력을 내기 힘들고 결국 부상으로 이어진다. C.O.G.의 바른 인지는 바른 체형의 정렬이 출발점인 셈이다. 몸의 바른 정렬은 C.O.G.를 잘 유지하면서 몸을 사용할 때 효율적으로 운동 능력을 극대화시킬 수 있다는 것을 보여주며 그렇게 운동을 하면 다시 몸의 바른 정렬과 역치를 유지하는데 도움이 된다는 선순환을 보여준다.

그렇다면 몸의 정렬은 과연 무엇일까? 지구 중력은 지구의 중심점을 향하고 우리 몸으로 느끼는 중력 방향은 수직 아래 방향이 될 것이다. 수직 방향으로 작용하는 힘을 잘 버텨내고 분산시키기 위한 구조를 만들어내는 것이 바른 몸의 정렬이라고 한다면 이 구조를 만들어내고 유지하는 것에는 여러 요소들이 필요하다.

A

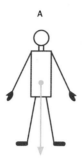

B

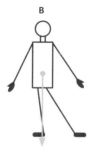

C

센터 오브 그래비티 Center Of Gravity

첫 번째는 관절이다. 인체에는 수많은 관절들이 존재하지만 크게 움직임과 연관이 있는 관절들이 있다. 러시아 스포츠 과학에서는 조인트 모빌리티Joint Mobility, 즉 관절의 원활한 회전과 조합이 젊음을 유지하는 비결이라고 이야기한다. 여러 학회나 무술 이론에서 규정하는 대(大)관절은 이론적 차이가 있지만 병원 임상에서는 하나의 관절만 보는 것이 아니라 위치나 정렬이 바르지 못해 일어나는 통증과 관련된 부위를 다음과 같이 묶어서 분류한다.

위치	통증으로 영향을 받는 부위
머리와 목 Head Control	견갑대 ,어깨, 팔꿈치, 손목
골반대 Pelvic Control	엉덩이, 무릎, 발목
척주(몸통) Vertebral Column Control	머리, 목, 견갑대, 골반대

예를 들어 견갑대나 팔꿈치 관절의 움직임이 원활하지 않고 통증이 있는 사람을 볼 때 머리와 목의 위치와 움직임을 먼저 살펴보면 연관을 알 수 있다는 이야기다. 백퍼센트 일치한다면 좋겠지만 애석하게도 인간의 몸에는 여러 변수들이 존재한다. 그렇기 때문에 분류한 관절 중 상체의 기둥이라 할 수 있는 견갑대와 하체의 출발점이라고 할 수 있는 골반대를 포함하고 있는 척주(몸통)의 안정성을 먼저 확보하는 것이 가장 좋다. 이 부분의 정렬이나 안정성이 좋아야 다른 동작으로의 연결이나 중력에 반응하는

C.O.G.가 좋아져 스포츠 퍼포먼스가 좋아진다.

　두 번째는 근육의 수축, 이완, 탄성이다. 먼저 근육이 어떤 종류의 운동을 했을 때 나타내는 반응에 대한 개념을 잡아야 한다. 일반적으로 스트레칭은 '이완되며 힘이 느슨해짐', 근력 운동은 '수축되며 힘이 강해짐'이라고 생각하기 쉽다. 그러나 실제로는 스트레칭은 '이완 탄성을 회복함', 근력 운동은 '수축 탄성을 회복함'이다. 수축, 이완, 탄성의 세 박자에 회복이라는 되돌이표를 만나 운동을 하는 동안 계속해서 같은 반응이 순환한다. 수축이 되는 것과 이완이 되는 것은 반대의 개념이지만 두 가지가 서로 잘 반응해야 탄성이 생긴다. 근육은 움직이지 않을 때 적당한 강도의 텐션을 유지하며 원래 모양과 크기로 되돌아가려는 속성이 있다. 이것을 가능하게 해주는 것이 탄성이며 탄성의 단계로 잘 넘어와야 회복이 잘된다. 탄성은 회복에만 연관이 있는 것이 아니다. 근육이라는 조직의 특성을 보면 국수 가닥처럼 가닥 조직으로만 존재하는 근섬유를 잘 감싸서 해부학 책에서 볼 수 있는 근육의 형태를 이루도록 해주는 근막에 대한 의존도가 매우 크다.

　우리는 이미 근막이 우리 몸에 미치는 영향에 대해 충분히 인지하고 있다. 현재 시중에 나와 있는 통증에 대한 책들은 거의 대부분 근막과 관련이 있으며 마사지 볼이나 폼롤러와 같은 도구들은 긴장하고 뭉쳐서 탄성을 잃은 근막을 이완시키기 위한 도구들이다. 이런 도구를 이용하여 근막이 이완되는 과정은 꽤 아픈 통증을 동반하는데 근막이 굳는 원인 중에 가장 큰 원인은 의외로 자세의 효율성을 관장하는 소뇌의 운동 중추에 있다. 간단한 예로 처음 앉아보는 의자에서 엉덩이를 움직여 편한 자세를 찾는 것이 바로 그런 것이다. 구부정한 자세로 스마트폰을 볼 때 우리는 장시간 스마트폰을 보는데 유리한 자세를 찾아낸다. 즉, 동작과 수행하는 목적에 따라 몸의 효율성을 찾아내는 것인데 한두 번 이렇게 된다고 해서 기본적인 직립 패턴이 망가지는 것이 아니지만 자주 반복하면 뇌에서는 이것이 바른가, 바르지 않은가의 판단보다 효율성이 먼저 고려되어 목의 위치, 흉곽의 각도, 어깨의 긴장도 등을 세팅하게 된다. 스마트폰을 장시간 들여다보기 편한 자세가 바른 자세는 아닌데도 유리한 자세로 인지하고 오래 유지되면 뇌가 편하다고 인식하게 된다. 이렇게 완성된 좋지 않은 자세는 근육을 굳게 하고 다양한 통증들을 재생산하는데 그 통증들을 완화시키기 위해 또 다른 통증으로 대가를 치러야 하는 악순환이 반복된다.

관절의 가동 범위에도 영향을 주는(뭉쳐 있으면 정상적인 관절 가동 범위가 나오지 않는다) 근막 조직은 근육의 형태를 좌우하는 조직이기 때문에 근막의 긴장도에 따라 같은 운동을 해도 근육의 크기가 달라지는 현상을 만들기도 한다. 여러 가지 면에서 근막을 설명할 수 있지만 여기서는 근막이 촘촘히 몸 전체에 분포하고 있기 때문에 근육의 탄성과 회복을 위해서 꼭 필요하다는 정도만 이야기하겠다. 근섬유의 절반 이상이 근막이다. 근섬유 하나하나가 근막에 쌓여 있고 근섬유를 동원하여 힘을 내는 단위별로 다시 근막으로 개별 포장되어 있다. 그렇기 때문에 근섬유와 근막의 탄성은 단순히 수축과 이완의 반복이 아니라 회복력을 포함한 탄성을 갖도록 관리하는 것이 중요하고 이것을 기초로 몸의 바른 정렬을 인지하고 유지하는데 중요한 요소가 된다.

바른 탄성의 몸은 바른 정렬로 이끌어야 한다. 근육이 뭉쳐서 짧아진 쪽은 스트레칭을 시켜주고 이완된 쪽은 운동해서 수축해야 한다는 생각도 잘못된 생각이다. 수축된 쪽도 이완된 쪽도 양쪽 다 스트레칭을 시키면 같이 좋아지며 양쪽 다 같이 운동을 시켜도 둘 다 좋아진다. 길이가 다르고 수축 형태가 다르다는 출발점을 가지고 있지만 출발점이 다르다고 한쪽에는 이완 ,한쪽에는 수축만 시킨다면 또 다른 불균형을 초래한다. 골격의 불균형으로 달라진 체형도 퍼포먼스에 영향을 주지만 크기의 불균형을 초래하는 근육의 불균형 역시 퍼포먼스에 영향을 미친다. 골격과 근육은 서로 하나의 존재처럼 유기적으로 반응하기 때문에 서로 긴밀하게 영향을 주고받는다. 골격에는 아무런 문제가 없는데 근육에만 문제가 생기거나 근육에는 아무런 문제가 없는데 골격에만 불균형이 생기는 경우는 없다. 골격과 근육의 불균형을 최소화하고 C.O.G.를 잘 인지하는 몸을 만드는 것이 '바른 움직임'이다. 전장에 나가기 전에 몸에 기본적으로 입게 되는 갑옷인 것이다.

머리에서 발끝까지

바르게 서는 것이란 무엇인가? 우리의 일상을 들여다보면 다양한 '서기'가 존재한다. 서 있는 것이 좋다지만, 직업적으로 서 있어야 하는 사람들에게 장시간 서 있는 것은 몸을 망치는 또 다른 원인이 되기도 한다. 계속 서 있는 것이 무조건 좋다는 말이 아니라는 뜻이다. 어떻게든 '바르게' 서 있어야 하는 것이다. 중요한 포인트는 바로 균형Balance과 대칭 Symmetric이다. 균형과 대칭은 다른 것이다. 균형은 형태와 상관없이 무게중심점이 잘 잡혀 있는 것을 말한다. 대칭은 데칼코마니와 같이 앞뒤좌우가 동일한 형태인 것을 말한다. 대칭이 아니더라도 균형을 잡을 수는 있다.

균형과 대칭

앞의 사진은 골반의 불균형이 눈에 띄기는 하지만 균형과 대칭을 한 자세를 보여주는 예시다. 좋지 않은 구조를 포함하고 있지만 균형과 대칭은 얼마든지 만들어낼 수 있는 것이다.

서는 자세에서 대칭을 맞추면 균형을 잡기에는 매우 유리하다. 이것을 '기능적으로' 잘 유지해야 바르게 서고 걷고 앉는 모든 일상적인 동작들을 잘 조절할 수 있다. 하체의 스탠스Stance가 넓다고 안정된 것도 아니고 힘이 세다고 균형을 잘 유지할 수 있는 것도 아니다. 물론 힘이 좋으면 균형을 잡는 데 유리하기는 하다. 우리의 신체에서 처음으로 중력의 압박이 시작되고 위치에 따라 몸 전체의 중심선에 많은 영향을 미치는 것은 머리다. 가만히 서 있는 자세에서 머리를 앞뒤 좌우로 흔들기만 해도 몸의 균형이 바뀌는 것을 알 수 있다.

의자에 앉아서 오랜 시간 업무를 보면 생기는 대표적인 증상 중 하나가 거북목 증후군이다. 일자목 증후군이라고도 부르는 이 증상은 터틀 넥 신드롬Turtle Neck Syndrome이라고 하지만 포워드 헤드 포스처Forward Head Posture 라고도 부른다. 실제 나타나는 증상은 목이지만, 실은 머리의 위치가 좋지 않은 상태로 장시간 중력의 압박을 받아 생긴 변이이기 때문이다. 여기에 또 하나 자주 인지하지 못하는 변수가 존재하는데 바로 시각으로 인한 인지 작용이다. 우리는 시각에 의존해 전면 방향을 70% 정도 인지한다. 사람에 따라 많을 수도 적을 수도 있지만 대략적인 수치다. 전면 방향에서도 머리 쪽으로 상체를 인지하는 것이 또 70% 정도 된다. 그렇기 때문에 시선

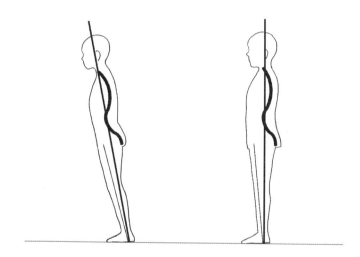

실제 중심선(좌)과 뇌에서 느끼는 중심선(우)의 차이

방향으로 몸의 중심선이 기울어질 수밖에 없다. 스스로 인지하고 있는 몸의 중심선과 물리적인 중심선이 다른 경우를 종종 볼 수 있다. 대게 실질적인 몸의 중심선이 많이 앞으로 기울어져 있다. 이것은 일종의 '감각 인지 오류'다. 전면 전체 인지 60%, 후면 전체 인지 40% 정도가 몸을 바르게 설 수 있게 하는 이상적인 비율이지만 이것을 운동으로 인지하기 위해서는 인내력뿐 아니라 관찰력도 필요하다.

우리의 몸을 끈으로 조정하는 목각 인형이라고 상상해보자. 목각 인형은 끈으로 지탱해주지 않으면 모든 균형이 무너져 서 있을 수 없다. 머리에 달린 끈만 잡아 당겨도 인형은 서서히 일어서기 시작한다. 인체는 끈으로 움직이는 인형은 아니지만 서 있는 자세에서 중심선을 느끼기 위해 이를 생각하면 도움이 된다.

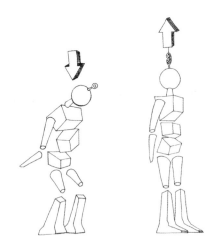

첫째, 머리의 이상적인 위치가 끈으로 머리를 수직으로 잡아당겨 서 있는 느낌이라면 먼저 우리의 머리 위치가 얼마나 자연스럽지 못한지 스스로 알 수 있어야 한다. 둘째, 발의 인지다. 발바닥 중심으로 지면을 가볍게 밀어내듯 서 있지만 발가락은 지면을 잡고 있다는 것은 일상생활에서 인지하지 못하는 것 중 하나다. 앞서 이야기한 균형과 대칭 모두 발의 인지에 포함이 된다. 머리 위에서부터 내려온 모든 압력은 최종적으로 발에서 분신이 되어야 한다. 발 전체로 골고루 분산이 되지 못해 장기화되면 하체 쪽의 통증을 유발하게 될 것이다. 발의 인지와 머리 인지가 일치되어서 C.O.G. 안에 중심선을 잘 유지시킬 때 바른 서기에 가까워진다. 여기에서 대칭을 지키면 더 조화로운 무게 분산이 되어 완성도 높은 서기가 된다. 사고나 팔다리 손실로 대칭성이 깨진 사람들은 균형성을 우선순위로 두면 된다. 예외적이지만 각자의 바른 직립도 존재하기 마련이다. 직립이라는 것은 어렵고 예술적이기까지 한 구조다. 그렇기 때문에 직립을 넘어 바른 서기야말로 조화로움의 결정판이다.

앞서 강조한 내용이 균형과 대칭이라면 이제부터 할 이야기는 골반, 고관절, 무릎, 발목 등 직립에 동원되는 관절에 대한 이야기다. 관절들은 각각 이야기해도 끝이 없을 정도로 많은 것이 연결되어 있지만 일단 '서기'에서 중요한 것은 보행과 밀접한 연관이 있는 발과 발목이다. 몇 번에 걸쳐 강조해도 지나치지 않은 내용을 한 번 더 강조하자면 서 있건 앉아 있건 제일 중요한 것은 직립성과 무게 분산이다. 머리가 달려 있는 이상 바른 직립이 무너지면 머리의 무게가 비대칭으로 작용해 균형이 무너지고 몸의 C.O.G.도 변하고 재차 균형과 대칭이 깨지는 단계를 밟게 된다. 균형과 대칭은 몸이 직립과 무게 분산의 효율을 위해 취하는 시스템이다. 무게 분산 시스템의 첫 번째는 발 아치와 발목의 가동성이다.

요즈음 신발이나 운동 부족 등 여러 가지 원인으로 나타나는 것이 후천성 평발이다. 발목의 가동성은 족저근막(발바닥 근육의 근막)과도 연관이 많다. 발 아치와 족저근막, 발목의 가동성은 단순히 발목 주변의 근육 불균형에서 끝나지 않고 흉쇄유돌근과 광배근, 중둔근의 균형에도 영향을 미친다. 우리 몸에는 360도 회전이 가능한 관절들이 있는데 바로 목, 어깨, 손목, 고관절, 발목이다. 그중 몸의 위치와 균형을 잘 잡을 수 있도록 뇌신경과 피드백을 주고받는 감수기가 많은 곳이 목, 손목, 발목, 고관절인데 이 관절들은 서로 위치 정보를 주고받으면서 연동된다. 그래서 발목도 '목 Neck'이라는 말이 있다. 그렇기 때문에 발 아치와 발목의 불균형을 볼 때 흉쇄유돌근, 광배근, 중둔근의 근사이즈와 밸런스를 같이 관찰해보면 훨씬 도움이 된다.

발의 모양은 신발 문제냐 발목 부상이냐에 따라 접근 방법이 다르기 때문에 우리는 감각 인지 부족의 문제에 대해서 이야기하겠다. 대표적으로 인지 부족에 의해 생기는 증상은 무지외반증이다. 무지외반증을 보면 엄지

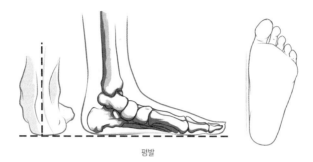

평발

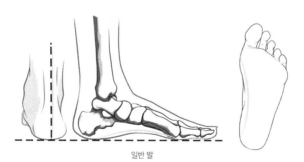

일반 발

발 아치와 발목 가동 범위

발가락이 휘어지는 증상이 나타난다. 엄지발가락은 힘이 가장 강한 발가락인데 왜 그런 증상이 나타나게 되는 것일까? 뇌에서 발가락을 인지하지 못하고 힘이 점점 빠지면 발가락을 그저 붙어 있는 살덩이로 인지해서 힘써야 할 엄지발가락을 발 안으로, 앞꿈치 뼈는 바깥 방향으로 밀려나게 된다. 아마 평소에 벙어리장갑을 착용하고 생활한다면 이와 비슷하게 손의 기능이 퇴화하게 될 것이다. 발가락의 신전근(펴는 근육)이 원활하게 활성화되어야 발의 아치를 잘 유지할 수 있다.

발가락 신전근 힘 망가짐 – 발의 아치 무너짐 – 빌목의 체중 지지 무너짐 – 몸 전체의 불균형

통증의 근원 중 하나인 몸의 불균형은 이런 순서로도 진행이 된다. 평소에 발가락을 잘 인지시켜주는 작은 팁은 발가락 양말을 착용하는 것이다. 미관상 민망할 수도 있으나 발가락의 움직임을 스스로 인지하는 능력을 발전시키고 유지시켜주는 최고의 방법이다.

우리 몸의 주요 관절은 관절의 가동 범위에 따라서 움직임을 제공하는 곳과 힘을 발산하는 곳이 나누어져 있다. 파워면에서 보면 코어의 중심은 고관절이라고 볼 수 있다. 몸에서 힘을 발산하려면 뼈를 따라서 뼈의 길이 방향으로 힘을 내는 근육이 길게 붙어 있어야 한다. 대표적인 근육이 '대퇴직근'이다. 거기에 허벅지 안쪽의 내전근과 바깥쪽의 장경인대가 더해지고 엉덩이의 힘 증폭을 통해 장요근을 타고 인체의 중심선에 잘 연결이 되

면 신체에서 낼 수 있는 가장 큰 힘을 발산할 수 있다. 발목과 엉덩이 관절이 가동 범위가 큰 반면 무릎은 앞뒤로만 힘을 쓰는 안정적인 구조라 수직 방향으로 큰 힘을 낼 수 있다. 발이 움직임 방향과 체중 분산의 첨병이라면 무릎과 고관절은 힘을 내주는 관절이고 골반은 복압과 내압으로 보강하고 조절해주는 역할을 한다.

바르게 서기에서 무릎이 역할은 신전이 잘 발휘될 준비가 되어 있어야 하며 그것이 원활해야 걷기나 달리기도 편하다. 그러기 위해 먼저 1발가락인 엄지발가락과 2발가락인 검지발가락의 방향이 무릎의 방향과 일치되어야 한다. 가장 좋은 진단법은 거울을 보고 발을 11자로 섰을 때 무릎의 방향이 안쪽인지 바깥쪽인지 살펴보면 금방 알 수 있다. 발과 발목 위에 무릎, 무릎 위로 보면 골반이 있다. 골반은 그 특유의 모양 때문에 여러 특징이 있지만 먼저 주의해서 보아야 할 부분은 골반저근Pelvic Floor1>이다. 이 골반저근은 그 위에 음식을 올려놓을 수 있는 테이블처럼 내부 장기들이 놓이기 때문에 골반의 뒤틀림은 복부 안의 장기에도 영향을 준다. 또한 고관절이 소켓처럼 골반 안에 들어가 있지만 가동 범위가 크다. 강한 힘을 발산하는 파워 관절이면서 가동 범위도 책임지는 관절이다. 당연히 골반의 모양에 따라서 고관절도 영향을 주고받는다. 이것은 바르게 서 있는 자세에도 많은 영향을 준다. 반대로 이야기하면 바르게 서고자 할 때 골반의 위치가 매우 중요하다는 이야기도 된다.

마지막으로 바르게 선다는 문제에서 인체 후면의 근막 라인의 협응이 중요하다. 후면 라인의 힘이 몸의 직립성과 자세를 만들어주기 때문이다. 하지만 인간은 시각적인 동물이기 때문에 거의 모든 주의력을 눈 방향으로 집중한다. 시각의 방향을 따라서 목도 앞으로 나오고 자세도 구부정하게 된다. 그렇게 하지 않아도 나이가 들어 노화가 오면 후면 라인은 자연스럽게 약해지고 몸도 굽어진다. 자연의 속도를 의식하지 못했다는 이유로 2배속, 3배속으로 힘을 쓸 필요는 없다. 나이보다 젊게 사는 것이 미덕인 시대에 살고 있다. 그 첫걸음은 바르게 서는 것에서부터 시작한다.

네 발에서 두 발로

한 인간으로 탄생하기 위해 누구나 어머니 뱃속에서 10개월 동안 있어야 한다. 인간의 임신 기간은 일반적으로 10개월. 인간보다 더 긴 임신 기간을 가진 동물들도 많지만 일반적으로 다른 동물에 비해 긴 임신 기간을 가지는 편이다. 하지만 10개월이라는 임신 기간에 비해 막 태어난 인간은 할 수 있는 것이 거의 없다. 기본적인 보행을 인지하는데 1년 이상이 걸리고 언어와 사고, 생활에 필요한 행동을 익히는 데는 더 오랜 시간이 필요하다. 동물들. 그중에서도 초식동물들은 태어나자마자 바로 걷고 뛰기 시작한다. 자연계의 냉혹한 적자생존과 연관된 효율성이겠지만, 좀 더 생물학적인 이유를 들자면 뇌의 신경계와 관련이 있을 것이다. 좀 더 복잡한 신경계를 가진 동물이 완성체로 성숙하는데 더 오랜 시간이 걸린다는 것은 대충 생각해봐도 알 수 있다. 갓난아이가 성장하는 첫 단계는 머리를 가누는 것이다. 갓난아이는 머리 위치와 움직임이 컨트롤되지 않기 때문에 목욕을 시키거나 젖을 줄 때도 보호자가 손으로 머리의 위치를 지탱해준다. 아기가 목을 가누기 시작하면 시선이 변한다. 주변 환경이나 특정 사물에 스스로의 의지로 시선을 고정하고 인지하고 관찰하는 것이 가능해지는 것이다. 그것을 시작으로 차례차례 보행과 언어와 사고를 향해 발달하는 과정을 거친다. 아직까지 직립과 인류의 뇌적 용량 사이에 어떤 관계가 밝혀진 바는 없다. 두 발로 서서 손을 쓸 수 있게 되어 뇌가 발달한 것인지, 직립을 하면서 시야가 넓어지고 손을 쓰게 되면서 뇌가 발달한 것인지 모두 추측과 가설일 뿐이다.

호문클루스Homunculus 모델은 캐나다의 신경외과 의사인 와일드 펜필드 Wilder Penfield가 살아 있는 사람의 뇌를 연구하여 발견한 호문클루스의 과학적 이론을 알기 쉽게 형상화한 모델이다. 이것은 실제 크기가 아니라 우리가 운동을 하거나 어떤 대상을 인지하고 감각으로 느낄 때 해당 부위의 의존도에 따라 크기를 정하고 형상화하며 만들어낸 모델이다. 운동적인 모델과 감각적인 모델이 약간의 차이는 있지만 입과 손이 상당히 크다는 것을 알 수 있다. 시각은 너무나 커서 눈을 몸 전체보다 크게 그려야 되기 때문에 생략했다고 한다. 뇌가 먼저 발달했다면 감각이 좀 더 골고루 분포되지 않았을까 하는 추측이 있지만 어디까지나 추측일 뿐이다. 어찌되었건 이것이 현생 인류의 기능 감각이라면 직립에서 보행으로 이어지는 움직임은 우연한 것이 아니라 필연이라는 생각이 든다. 저 거대한 감각기관인 손으로 사족 보행을 했다면 고양이 앞발 수준 정도로 바나나 껍질조차 벗기지 못했을 것이다. 이것은 도구를 이용하기에 나타난 터무니없는 감각이며

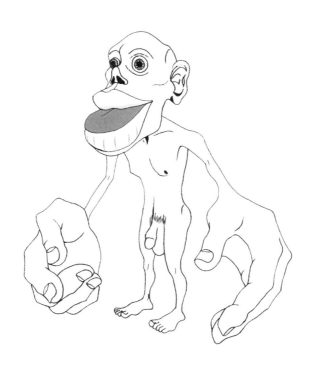

호문쿨루스 모델

도구를 이용할 수 없었다면 인류는 문명을 만들지 못했을 것이고 지금처럼 몸을 굴신시켜 자신의 신체에 인위적으로 위해를 가하지도 못했을 것이다. 이와 같은 추측은 신경계 환자들을 재활시키는 과정에서 생긴 임상적 경험에 근거한 것이지 이론적인 토대에 근거한 것은 아님을 밝혀둔다.

뇌 손상이나 운동감각 퇴행과 같은 신경계 환자들을 치료 재활하는데 바탕이 되는 것이 '정상적인 아동 정도의 수준'이다. 이것을 운동 콘셉트로 적용시킨 것이 DNS(Dynamic Neuromuscular Stavilization) 트레이닝, 동적 신경근 안정화 운동이다. 이른바 '아기의 움직임처럼 운동한다'라는 운동법으로 뇌성마비 환자들이나 발달장애를 앓고 있는 어린이들에게 적용하기 위해 만들어진 운동 프로그램이다. 운동의 목표가 궁극의 직립, 즉 잘 서 있는 것과 잘 걷는 것이다. 그래서 발달 과정 운동과 같은 접근법을 가지고 있다. 이 운동법에서는 적절한 자세와 자세 유지를 위한 안정성을 확보하는 첫 단계 시작을 호흡으로 보고 있다. 상당히 설득력이 있는데 움직임 이전에 안정된 호흡 패턴은 효율적인 운동 패턴을 구성하는데 가장 기초가 된다. 요가나 태극권처럼 고도의 안정화를 추구하는 운동에서는 호흡을 아예 따로 연습할 정도다. 호흡을 바르게 인지하고 나서 다음 단계는 바로 누워서 목과 몸통, 팔다리를 제대로 가누는 것이다. 그다음은 앞으로 엎드리기 위해 옆으로 구르는 동작을 연습하고 앞으로 엎드리게 되었을 때 척추의 정렬과 등 근육들의 활성화를 살핀다. 그다음 단계는 바로 앉거나 네 발로 기어가는 자세를 만드는데 여기서 엉덩이 근육이 활성화되고 또 안정화된다. 그다음 단계는 골반을 회전시켜 한쪽 다리씩 지지하여 일어설 수 있는 자세의 전 단계를 만들어나간다. 운동의 이름 자체가 아예 '원시의', '태고의'라는 뜻을 가진 프라이멀 무브Primal Move 역시 마찬가지다. 현대인들은 어린 시절에 성장하는 과정을 통해 원초적인 움직임을 익혔지만 좋지 않은 자세 습관이나 운동 부족 때문에 이런 움직임들을 잊어버린다. 프라이멀 무브는 이렇게 잊힌 원초적인 움직임을 기반으로 올바른 움직임을 만들어내기 위한 운동 체계다. 유사한 트레이닝들도 결국 추구하는 방향은 '본래의 움직임'일 것이다.

DNS 트레이닝과 프라이멀 무브에서 공통적으로 중요하게 다루고 있는 자세는 바로 '네 발 기기 자세Quadruped Position'다. 네 발 기기 자세는 신체 본연의 움직임이라기보다는 본래의 움직임을 활성화하고 촉진시키는 데 좋은 운동이다. 일단 직립으로 선 자세보다 중력을 분산시켜 몸에 부담이 덜하고 앞으로 중요하게 다룰 장요근의 긴장도가 떨어지는 자세다. 장요근뿐 아니라 엉덩이 근육과 복근의 긴장도 역시 낮춰줄 수 있는 동작으로 몸통 근육의 인지와 활성화에 매우 유리하다. 요가나 필라테스처럼 몸의 대칭을 강조하는 운동에도 네 발 기기 자세는 많이 활용된다. 신체의 교차점을 이용하여 아주 간단하게 몸의 비대칭을 인지하기에도 좋은 자세이기 때문이다. 네 발 기기 자세에서 손과 반대쪽 다리를 지면에서 교차하는 방식으로 들어보면 바로 알 수 있다. 몸의 대칭이 제대로 맞춰진다면 직립하고 걷는 움직임에도 긍정적인 영향을 미치게 될 것이다. 네 발 기기는 태초의 움직임을 표방하며 발달 과정을 적용한 트레이닝들뿐 아니라 오래된 신체 수행법에서도 자주 활용되는, 인지 과정에서 한 번쯤 짚고 넘어가야 할 동작이다.

단순한 걷기는 고양이 척수 분절 운동에서 언급했던 것처럼 뇌의 명령도 필요 없는 패턴화된 동작이지만, 통증의 연대기에서 보았을 때 발달 과정 적용 계열의 운동 콘셉트는 바르게 서 있지 못하는 동작에서 인류의 통증이 시작된 것은 아닐까 하는 반증의 일부로 보고 있다.

근육통

초등학생 때의 기억이다. 동네 골목길을 열심히 뛰어놀았던 피곤함과 완전히 다른 종류의 통증에 당황했던 어린 시절의 추억이 있다. 몇몇 친구들과 처음으로 놀러갔던 수영장에서 시간 가는 줄 모르고 물놀이를 하고 처음으로 물장구가 아닌 수영의 영법을 배웠던 날. 집에 돌아오는 버스에서 내리다가 마음대로 작동되지 않는 발목 때문에 엎어져 턱이 깨졌던 기억이 있다. 물장구가 아닌 수영을 위한 발차기는 수중이라는 저항에 정강이 근육을 자극하게 된다. 집에 오는 길에 근육통이 생긴 줄 까맣게 몰랐던 소년의 뇌에 생긴 감각 인지 오류는 익숙한 동작을 하도록 명령을 내렸지만 제대로 움직여 주지 않았던 것이다. 열 살이 넘은 초등학생에게 걷고 계단을 오르내리는 동작은 이미 익숙한 동작임에도 왜 그런 일이 생긴 것일까? 이것은 뇌와 신경계의 잘못이 아닌 근육의 책임이 더 크다. 살면서 만나게 되는 여러 가지 통증이 있지만 처음으로 접하는 통증은 언제나 당황스럽다. 그중에서 가장 당황스럽고 가장 흔하며 상황에 따라서는 가장 안전하고 심지어 가장 건강에도 좋은 통증이 바로 근육통이다. 근육통은 끊임없이 움직이도록 설계된 우리에게 가장 가까운 통증이며 가장 자주, 쉽게 만날 수 있는 통증이다. 근육통은 다양한 원인에 의해서 발생되며 가장 흔한 원인은 근육을 과다하게 사용하였거나 감당할 수 없는 외부의 압박이나 자극에 노출되었을 경우다. 세균이나 바이러스 감염에 의해서도 발생하며 영양 결핍이나 만성 피로에 의해 생길 수도 있다.

근육은 연부 조직의 일부이다. 연부 조직Soft Tissue(軟部組織)은 근육, 인대, 지방, 혈관, 신경, 힘줄, 섬유조직 등을 말하며 신체의 결합조직 중에서 딱딱한 조직인 연골과 뼈, 그리고 혈액과 조혈조직(골수)을 제외한 나머지를 말한다. 신체의 각 부분을 연결하고 지지하고 감싸고 보호하는 기능을 한다. 근육이 전체 연부 조직에서 차지하는 비율은 상당히 많은 편이다. 그러나 연부 조직에서 많은 부피를 차지하고 중요한 위치에 있음에도 근육통을 부상이라고 하지는 않는다. 물론 인대나 건 역시 통증을 느낀다고 해서 모두 부상이라 정의하지는 않는다. 반대로 근육에 근육통으로 인해 생긴 통증이 아닌 근육 파열로 생긴 통증이 있다면 당연히 부상으로 보아야 한다. 일반적으로 부상이 아닌 근육통은 두 가지다. 첫 번째는 과도한 사용에 의한 근육통. 이른바 DOMSDelayed Onset Muscle Soreness다. 알이 밴다고 하는 현상으로 체내에서 에너지를 만드는 글리코겐이 근육의 사용으로 분해되면서 생성되는 물질인 젖산에 의해 일어난다는 속설도 있으나,

최근에는 젖산은 그냥 운동 부산물일 뿐이며 오히려 젖산이 근육통을 경감시키기 위해서 분비된다는 학설도 제기되고 있다. 아직까지 명확하게 검증된 바는 없지만 과도한 움직임으로 인해 근육의 조직 등에 미세한 손상이 생기고, 이로 인한 염증에 의해 통증이 생기는 것으로 알려져 있다. 그렇기 때문에 근육통이 너무 심하면 소염진통제를 복용하면 통증이 감소한다.

두 번째는 근막동통증후군Myofascial Pain Syndrome을 들 수 있다. DOMS가 만들어내는 근육통은 강력하지만 근육이 찢어지는 부상이 아니라면 회복되는 기간도 어느 정도 예상이 된다. 즉, 발생한 이후의 방향은 무조건 회복과 완화를 향해 간다는 말이다. 근막동통증후군(근막통증후군, 근막통증증후군)은 말 그대로 증후군Syndrome으로 생기는 원인도 다양하고 증상도 다양하지만 일반적으로 운동으로 생긴 근육통처럼 시간이 지나면 완화되거나 회복되는 것이 아니라 더욱 나쁜 증상들을 파생시키는 특성을 가지고 있다. 과도한 근육의 긴장이나 평소 좋지 않은 자세, 지속적인 스트레스나 우울증까지 근막동통증후군을 만들어내는 원인은 다양하며 나타나는 증상도 매우 다양한데 반해 MRI나 CT를 통해서는 확인되지 않기 때문에 증상을 듣고 해당 부위를 손으로 만져서 찾아내는 방식으로 검사한다.

근막조직은 섬유조직으로 되어 있는 근섬유다발을 감싸서 형태를 잡아주는 역할이 가장 크다. 섬유조직은 마치 국수 가닥처럼 가닥가닥 섬유의 형태를 하고 있는데 해부도에서 해당 부위의 근육 모양을 유지할 수 있는 것은 근막이 이런 섬유 형태의 근다발을 포장하듯 감싸서 형태를 잡아주기 때문이다.

근육의 깊은 안쪽에서도 근막동통증후군이 나타날 수 있는데 이것은 근막이 근육의 겉모양만 감싸고 있는 것이 아니라 근섬유 한 가닥, 한 가닥을 감싸고 있기 때문이다. 이런 근막이 뭉친 것을 트리거 포인트Trigger Point라고 하는데 이곳을 문지르거나 압박하면 상당히 아프기 때문에 누르면 아파서 펄쩍 뛴다고 점핑 포인트Jumping Point라고도 한다. 통증을 느끼는 통각세포의 분포가 근섬유 자체보다 근막에 더 많이 분포되어 있기 때문이기도 하지만 근막동통증후군은 단순하게 통증에서 끝나는 느낌이 아니라 쥐가 난 듯 저리거나 혈액순환을 방해하여 해당 부위가 부분적으로 차가워진다거나 하는 전혀 엉뚱한 곳의 통증으로 발현되는 경우도 흔하게 일어난다.

통증 반응이 다양하다보니 이런저런 일화도 많은데 몇 년 전 필자의 어머니는 원인을 알 수 없는 편두통과 팔 저림 증상에 병원을 찾았으나 특별한 원인을 찾을 수 없었고 MRI 촬영까지 하게 되었다. 동네 한의원에서는 중풍을 의심하기도 했다. 혹시나 하는 마음에 목 줄기라고 하는 흉쇄유돌근을 마사지해드리자 해당 부위가 많이 뭉쳐 있음이 느껴졌고 천천히 문질러 풀어드리자 다음 날 통증과 팔 저림 현상이 상당히 줄어들었다. 결국 원인은 일종의 근육통인 근막통통증후군이었고 오천 원짜리 마사지 볼로 해결할 수 있는 문제였던 것이었다. 이런 증상들은 일종의 근육통이기 때문에 주변에서 흔하게 볼 수 있다. 이렇게 뭉친 트리거 포인트는 근육의 한가운데를 강하게 압박하거나 문지르듯 마사지하여 통증을 완화시킨다.

근육뿐 아니라 대개의 연부 조직에서 생겨난 통증을 대하는 일반적인 매뉴얼은 R.I.C.E.다. 어떤 이유이던 연부 조직에 생긴 통증은 R.I.C.E.로 완화시킨다.

R.I.C.E.

R_____ Rest / 휴식

I _____ Icing / 얼음찜질, 냉찜질

C_____ Compression / 압박

E_____ Elevation / 환부 들어올리기

기본적으로 근육조직의 출혈을 막고 부종(해당 부위가 부어오르는 것)을 줄일 수 있는 방법이다. 근육통은 운동 후 통증이건 타박상이건 근섬유의 활동이 없으면 통증이 줄어든다. 타박상은 강한 충격으로 근육 내에서 출혈이 생기거나 피부에 출혈과 부종이 보이는 경우를 말한다. 그에 반해 근육통은 해당 근육의 과도한 사용에 의해 나타나며 운동 후에 생기는 근육통도 여기에 해당한다. 다양한 질병이나 감염에 의해서도 생길 수 있지만 어떤 이유로 생겨난 근육통이든 근육(근섬유)의 활동이 일단 중단되면 이후부터는 회복Recovery의 단계로 들어가며 회복될 때는 내구성이 개선되며 더욱 단단하고 큰 조직으로 재생된다.

근육, 건, 인대의 통증을 구별하는 가장 큰 원칙이자 기준은 수축성 조직(피부, 근육, 건 등)이냐 비수축성 조직(인대, 뼈 등)이냐 하는 것이다. 비수축성 조직인 뼈나 인대는 다치거나 아플 때 일정 강도 이상의 외부 충격이 있고 움직이고 있건 고정되어 있건 중력을 받건 물속이나 우주에서 무중력상태로 있건 지속적인 통증을 유발한다. 반면에 수축성 조직인 근육이나 건은 일정한 압력 아래에서 좀 더 통증을 느끼며 물속처럼 부력으로 중력이 상쇄되는 곳이라면 통증이 감소되는 특성이 있다. 그래서 운동 경기나 훈련 중에 넘어지거나 굴러서 부상을 당했을 때 휴식을 취하며 얼음찜질을 하여 통증이 완화되면 근육통이나 타박상으로 보고 계속해서 통증이 증가되거나 완화되지 않으면 뼈나 인대가 손상된 것으로 예상하고 조치를 취한다.

근력 운동이 끝난 후 생기는 화끈화끈한 느낌이 드는 근육통은 일반적으로 미세근 파열Micro Trauma이라 표현하며 타박상이나 내출혈을 동반하는 근파열과는 구분해야 한다. 이것은 근육의 크기를 늘리는 근 비대훈련에서는 권장되기도 하다. 근섬유의 구조를 들여다보면 다음과 같다.

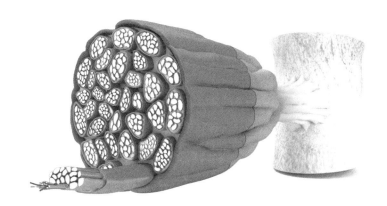

근섬유의 구조

탄수화물, 여러 효소, 지방덩어리 등과 함께 근섬유 다발이 있고 근섬유 한 가닥을 빼서 들여다보면 그 안에는 액틴Actin과 미오신Myosin이 있다. 이것들은 근육의 섬유에서 힘을 내는 최소 단위다. 액틴과 미오신이 밧줄처럼 꼬인 가닥의 개수와 그 안의 입자들은 모든 사람이 동일하다. 액틴의 구조는 알갱이로 되어 있는 꽈배기 같고 그 알갱이는 쫀득쫀득한 젤리 형태며 주요 구성 성분은 단백질이다. 액틴에 있는 젤리 꽈배기 알갱이들은 그 자체가 미오신과 함께 수축·이완을 하면서 힘을 내도록 되어 있다. 이것들이 모여서 전체적인 근세포 다발을 수축·이완하게 만든다. 일정 강도 이상의 근력 운동을 하면 액틴과 미오신에 있는 작은 알갱이들의 결합이 서로 떨어지는데 이런 상태가 운동 후에 해당 부위가 빵빵해지는 펌핑Pumping과 함께 찾아오는 근육통이다. 액틴과 미오신을 구성하고 있는 입자 알갱이들의 결합이 끊어졌다가(미세근 파열) 다시 붙으면서 알갱이들이 더 굵고 강해지고 내구력도 좋아지고 커지는데 뼈나 인대처럼 딱딱한 조직이 아니라, 쫀득한 젤리 형태라서 복구되는 시간도 빠르며 구성 성분이 단백질이기 때문에 음식물로 섭취하는 단백질이 충분히 공급되면 회복되려고 하는 알갱이들을 더 크게 만들어준다. 이것이 골절이나 인대 손상보다 근육 운동한 후에 생기는 근육통이 빨리 회복되는 이유다. 운동 후 생기는 근육통의 원인과 회복 과정을 간략히 설명해보았다.

통증의 구분에서 근육통은 중력을 제거하거나 상쇄시켜주면 통증이 줄어든다고 언급했다. 이것을 구분하기 위해서는 중력 방향과 근육의 수축 방향을 잘 구분해야 한다. 서 있는 자세에서 만세가 잘 안 되는 사람이 옆으로 누워서나 물속에서 만세가 잘된다면 근육 문제가 크다고 판단하는 식으로 말이다. 물론 물속에서 이런 테스트를 할 일은 없을 것 같고 스스로 만세는 힘드니 바로 눕거나 옆으로 누워서 다른 사람 팔을 대신해서 움직여줄 때 아프지 않다면 근육 수축을 제거하니 통증이 줄어들었다는 판단 하에 근육의 문제를 우선적으로 보는 방식이다. 쉬운 것 같지만 생각보다 판단하기 어려운 문제다. 근육의 통증은 생각보다 고통스럽고 본인 스스로 고통을 이겨내면서 판단한다는 것이 어렵기 때문이다.

우리가 살아가면서 겪는 통증의 대부분은 어쩌면 근육 통증일지도 모른다. 근육통 하면 뭔가 단순한 걸 생각하는데 어떤 자극이나 통증이 역치를 넘어서면 위험해지며 합병증을 유발한다. 화상도 피부의 1/3 이상이면 피부 호흡도 문제지만 염증과 패혈증이 큰 문제가 된다. 근육통도 극심해지면 통증 세포의 변성으로 만성이 될 가능성이 커진다. 재미있는 것은 이런 근육통들이 서구화된 사회에서 더 많이 나타난다는 것이다. 생각하기에는 열심히 몸으로 일하는 고대 중세 근대 사회가 더 근육 관련 질환이 많을 것 같은데 근막통증이나 근육통, 요통 등은 서구 현대화된 사회의 '특징'이라고 표현해도 될 정도로 많다. 단순히 오랜 시간 앉아서 일한다는 문제 이전에 직립으로 발전한 인간으로서 어떤 움직임의 코드가 결여되어 생긴 부작용 같은 느낌이 든다. 예전보다 덜 일하고 덜 움직이는데 왜 더 아픈 것일까? 이 문제에 대해 각 학회나 논문에서는 이런저런 이유를 제시하고 있지만 사실 확실한 진리에 가까운 답은 "아직 모름"이다. 다만 이러한 증상들을 '증후군'이라 부르고 증상을 완화시키기 위한 방법론들이 연구되고 만들어질 뿐이다. 원인은 명확하게 밝혀진 바 없지만 증상은 존재하고 완화시키기 위한 방법들이 제시되고 있는 아이러니가 근육이라는 바다에 둘러싸인 인간이라는 우주다.

　　인간은 고통 속에서 성장한다. 자아도 그렇고 근육도 그렇다. 앞서 이야기했던 운동 후 겪게 되는 근육통은 근육 성장을 유도하며 근력을 만들어주는 고마운 통증이다. 그러나 모든 통증이 인간을 성숙하게 만드는 것은 아니다. 잘못된 구조와 잘못된 움직임 패턴에서 비롯된 통증은 트라우마와 장기적인 후유증을 남긴다. 근육통 역시 마찬가지다. 살아나가는데 아무런 도움이 되지 않는 근육통이 있는데 '섬유 근육통'이라고 하는 증상이다. 만성 전신 통증 중 가장 흔한 질환이며 전체 인구의 4% 이하가 경험한 바 있는 현상이다. '섬유 조직염', '섬유 근육염', '류마티스성 근육염', '관절 주위 섬유 근육염' 등으로 진단 내리기도 하지만 실제 근육의 염증은 없는 상태이므로 염증으로 부르는 것은 잘못된 것이다. R.I.C.E.나 운동 후 미세근 파열처럼 휴식과 영양으로 개선되지 않으며 정확한 발병 원인이 밝혀진 바 없어 증후군으로 분류가 된 증상이다. 항우울제 약물을 처방하지만 직접적으로 효과를 나타낸다기보다는 이 증상으로 인한 심리적인 문제를 개선하기 위함이고 '운동 요법'이 주로 처방된다. 명확하게 밝혀진 바

없지만 증상이 존재하고 증상을 완화시키기 위해 제시되는 것을 '요법'이라 한다. 보통 '근막동통증후군'에 해당되는 경우가 많다.

너무나 많은 증상들과 해결법이 있지만 이 증상은 증후군이다. 원인이 명확하고 동일하여 질환으로 분류된 것들 이외에 원인이 불분명하거나 제각각이지만 증상만이 존재하는 것들을 보통 증후군이라고 한다. 근육을 둘러싸고 있는 근막에서 유발되는 증상들은 너무나 많고 다양하고 많은 치료사들에 의해 임상에서 다루어지고 있지만 아직까지 증후군일 뿐이다. 근막이나 근섬유가 어떤 자세에서 고정되면 근육은 탄성을 잃어버리고 근조직은 고정된 상태로 일을 하는데 여기서 말하는 일은 장력의 분산을 말한다. 그럼 이 부분은 탄성이 없기 때문에 다른 부분을 당겨서 탄성을 보상하고 급기야는 근육 자체가 장력을 분산하는 역할을 대신하며 보상작용을 하게 된다. 이 보상작용은 다름 아닌 잘못된 움직임 패턴으로 나타나며 이 보상이 각자 개인의 역치 안쪽이면 좀 저리거나 아프다가 풀리지만 이 잘못된 순환 구조가 계속되면 근막끼리 뭉쳐서 딱딱해지고 섬유질의 매듭을 띠 형태로 만들게 된다. 그렇게 뭉치고 딱딱한 부위에는 지방도 침착이 잘되고 체액 순환도 느려져서 부종도 잘생긴다. 이것이 전형적인 통증유발점, 트리거 포인트가 생기는 과정이며 폼 롤러와 같은 도구로 마사지를 하여 이완시키고 완화시켜야 한다.

그러나 이것은 해당 부위의 급한 통증을 완화시키기 위한 응급처치에 가까우며 근본적으로 몸의 구조와 움직임이 좋아지지 않는다면 카드 돌려

막기와 다를 것이 없다. 근본적인 부채가 해결되지 않는 이상 돌려막기의 굴레를 벗어나기 힘들다. 장수하는 사람들의 이유는 현대 과학으로 밝혀진 바가 없으나 그들의 공통적인 식습관이나 생활습관에서 답을 유추해볼 수 있다. 근육에서 발생하는 통증 역시 마찬가지다. 몸의 구조Structure와 움직이는 습관Pattern, 그리고 나타나는 증상으로 유추해볼 수 있을 뿐 정확한 원인은 알 수 없다. 마치 심해가 존재하지만 우리가 그 존재에 대해서 모두 알 수 없는 것처럼 말이다.

관절통

관절은 뼈와 뼈가 연결되는 부분을 말하며 일반적으로는 가동 관절을 의미한다. 가동 관절은 윤활 관절이라고도 하는데 관절 안에 윤활액이 차 있으며 양쪽의 뼈는 연골로 덮여 있고, 그 둘레는 관절낭으로 덮여 있는 구조다. 관절에 대한 개념을 알아보면 관절은 운동성에 따라 크게 가동 관절과 부동 관절, 두 가지로 나눌 수 있고 조직의 형태에 따라 윤활 관절, 섬유 관절, 연골 관절의 세 가지로 분류할 수 있다. 관절이라는 단어에서 느껴지는 가동성 때문에 굽히거나 펼 수 있는 신체 부위만 관절이라고 생각할 수 있으나 부동 관절처럼 움직이지 않는 관절도 있다. 움직임이 잦은 곳에 통증이 생길 것이라는 이미지가 가지고 있는 일종의 선입견이다. 중력에 대한 구조물로 인체를 바라본다면 오히려 움직이는 관절은 가동성이 높은 만큼 지속적인 중력의 압박에서 자유로운 부분이 있다. 우리 몸의 관절은 지속적으로 중력의 압박을 버텨내는 관절을 바탕으로 신체 말단 기관에 해당하는 가동 관절이 공생하고 있는 구조다. 관절의 종류를 큰 개념으로 보면 다음과 같다.

1 ____ 윤활 관절(가동 관절)

가동 관절을 뜻하며 일반적으로 굽히고 펴는 기능을 가진 관절을 말한다. 중심부에 윤활액으로 가득한 관절낭을 가지고 있다. 우리가 일반적으로 가지고 있는 관절의 이미지는 바로 윤활 관절을 의미한다. 윤활 관절은 관절의 가동성에 따라 팔꿈치처럼 굽히고 펴는 경첩 관절, 손목 관절처럼 굽히고 펴고 돌리는 것을 입체적으로 구현할 수 있는 타원 관절, 고관절과 넙적다리 뼈처럼 소켓 형태의 절구 관절, 손등 뼈과 손가락뼈처럼 평면으로 움직이는 평면 관절 등 매우 다양하며 신체의 움직임을 구현하는 대개의 관절을 말한다.

2 ____ 섬유 관절(부동 관절)

섬유조직에 의해 연결되어 있는 관절이며 일반적으로 섬유 관절의 운동 범위는 양쪽 뼈를 연결하고 있는 섬유의 길이에 의해 결정이 되지만 사실상 윤활 관절(가동 관절)에 비하면 거의 없는 것이나 마찬가지다. 그렇기 때문에 보통 섬유 관절을 부동 관절과 혼용하여 이해하는 것이 보통이다. 대표적으로 두개골 관절이 있다. 하나의 통으로 된 골격으로 이루어진 것이 아니라 많은 뼈가 섬유조직으로 봉합된 형태로 하나의 골격을 이루고 있으며 치아 뿌리와 치아 악관절 역시 이러한 형태를 이루고 있다.

3 _____ 연골 관절

연골 관절은 보통 반관절이라고 한다. 뼈 사이, 그리고 귀와 코, 팔꿈치, 무릎과 뒤꿈치, 척추 디스크 등에 존재하며 뼈처럼 단단하고 견고하지 않지만 근육보다는 유연하다. 뼈와 뼈 사이에서 충격을 완화해주고 골격끼리의 직접적인 마찰을 줄여주는 연골로 이루어진 관절 조직을 뜻하며 대표적인 것은 디스크(추간판)과 골반의 두덩 결합(치골 결합), 늑골(갈비뼈)의 늑간(갈비뼈의 사이와 사이)을 연결하는 연골 조직 등이 있다. 다른 연결 조직과는 달리 연골은 적혈구를 포함하지 않는다.

근육의 통증과 함께 오랜 친구처럼 친근한 통증이 바로 관절통이다. 움직임으로 인해 흔하게 통증을 느끼는 부위가 근육과 관절이다. 근육과 관절에서 오는 통증의 특징은 남녀노소를 가리지 않는다는 것과 좋은 구조를 유지한다면 나이가 들어도 젊은이보다 아프지 않을 수 있다는 것이다. 여기에 또 하나 덧붙이자면 운동을 열심히 하는 것과 상관없이 올 수 있는 통증이라는 점이다. 관절의 통증은 누구나 한 번은 경험하는 통증이다. 그야말로 살다보면 아플 수도 있는 그런 통증이라는 말이다. 하지만 흔한 것이라고 무시할 수도 없고 병원에 가야 하는 것인지 아니면 쉬면 되는 것인지 혹은 운동을 계속해야 하는 것인지 구분하기 어렵다. 병원의 진단은 대체적으로 방어적이다. 아파서 병원에 갔는데 그냥 약 먹으면서 운동을 쉴 것을 권하며 왜 그렇게 힘을 쓰냐고 하는 의사 선생님들의 충고를 들으면 의

욕이 바닥으로 떨어진다. 병원 치료 여부는 뼈나 인대, 건처럼 장력을 지지해주는 조직의 손상 유무로 판단한다. 뼈, 인대, 건의 문제가 없는 통증은 관리를 하면서 운동할 수 있다는 것이다. 좋지 않은 자세 습관에서 오는 관절의 통증은 자세 교정을 통해 바로잡을 수 있다. 그러나 자주 많이 움직이거나 잘못된 패턴으로 움직여서 오는 퇴행성 관절통은 케이스가 너무나 다양하고 원인도 다양해서 회복이나 치료에도 다양한 시각으로 접근을 해야 한다.

퇴행성 관절통은 두려운 증상이다. 많이 사용하고 무리해서 '퇴행성'이라는 것은 결과만 놓고 확정하는 것이기 때문에 각자의 회복력은 무시되곤 한다. 우리는 단백질의 구조물이고 각자 회복 기전이 너무나 다르기 때문에 바르게 잘 움직일 수 있는 범위 내에서 사용하면 얼마든지 좋아질 수 있다. 그렇다면 여기서 질문 하나 해보겠다. 무릎의 퇴행성 관절염은 일반인이 많이 생길까 마라토너들이나 철인 삼종 경기 선수들이 많이 생길까?

정답 : 그때그때 다르다.

누구는 많이 써도 괜찮고 누구는 조금만 사용해도 관절염이 오곤 한다. 결국 얼마나 사용했느냐보다 어떻게 사용했느냐가 문제다. 훈련이 안 된 사람이 갑자기 수십 킬로미터를 걷거나 달렸다면 문제가 생긴다. 이것은 마치 이동한 거리의 문제처럼 보이지만 얼마나 어떻게 훈련했느냐의 문제다. 우리가 흔히 접하는 관절통은 디스크(추간판 탈출증)도 있지만 대부분 사지의 말단 부위들이다. 경추(목뼈)나 요추(허리뼈)도 퇴행성이 와서 퇴행성 디스크가 되지만 느낌상 관절이라기보다는 몸통이나 몸의 기둥이라는 이미지가 강하다. 반면 관절 통증 하면 어깨, 고관절, 무릎, 발목, 손목, 팔꿈치 관절 같은 윤활 관절(가동 관절) 부위들이 떠오른다. 스스로 아픈 관절은 절대 존재하지 않는다. 이 부분들의 통증을 역추석해보면 연관된 부분들이 있고 해딩 부위의 통증은 원인의 결과로 나타나는 경우가 대부분이다. 예를 들어 고관절의 통증은 거의 100% 골반과 연관이 있다. 오래 서 있거나 오래 앉아 있거나 혹은 보행 패턴이 무너져 골반의 불균형에서 출발한 원인이 고관절 통증으로 나타나게 된 경우가 대부분이다. 어깨관절의 통증은 흉추나 흉곽의 불균형과 연관이 많고 무릎, 발목, 팔꿈치, 손목은 해당 부위의 관절통과 관련한 근막의 불균형이나 긴장도와 연관이 많은 식이다. 이렇게 관절의 통증이 유발되면 긴장해서 띠가 만들어지는 근막이 격막Septum(隔膜)인 경우가 많다. 뼈의 옆면에서 앞뒤를 나눠주는 막이라고 생각하면 이해가 편하다. 우리 몸의 앞뒤 라인은 움직임과 힘이 충분하면 문제가 생기지 않는 반면 힘이 부족하거나 과도하게 쓰면 회전하는 방향으로 힘을 쓰는 패턴이 생긴다. 정 방향으로 바르게 움직이는 것이 아니라 몸을 비틀면서 부자연스럽게 힘을 쓰며 움직인다는 말이다.

　사실 몸을 비틀어서 힘을 쓰는 것은 스포츠 퍼포먼스에서는 흔한 일이다. 몸의 안정성이라는 면에서 보면 인체의 앞뒤를 기준으로 수직 방향으로 힘을 쓰는 구조가 좋아야 바른 직립 자세가 나올 수 있다. 이 구조가 좋아야 체간과 몸의 정렬을 잘 유지하면서 힘을 쓸 수 있는데 문제는 이 구조가 좋지 못한 상태에서 몸을 비틀어서 힘을 쓰는 경우가 일상생활에서도 자주 나타난다는 것이다. 예를 들어 운전할 때 들리는 팔꿈치나 의자에 몸을 기대고 있을 때 기울어지는 머리나 목 등이 그렇다. 큰 힘을 쓸 필요는 없지만 장시간 좀 더 편하게 일을 하고자 회전하는 힘을 쓰게 되는 것이다. 스포츠 선수들은 훈련을 통해 훨씬 더 강력하게 회전하는 힘을 이용하여 퍼포먼스를 만들어낸다. 골프, 야구, 수영, 복싱, 체조, 축구 등 회전하는 힘을 사용하지 않는 스포츠는 없다. 그러나 운동선수들은 이 힘을 이용하기 위해 몸의 안정성과 내구성을 만드는 데 많은 시간을 투자한다.

이렇듯 회전은 기능적인 동작이지만 기본적인 움직임 패턴은 아니다. 기본적으로 관절의 굴곡(구부림), 신전(폄) 패턴이 바르게 쓰일 때는 회전 동작이 쓰이는 경우가 많지 않고 간혹 쓰더라도 금방 원래대로 돌아와 장력의 불균형이 회복된다. 회전하는 패턴의 힘을 쓰면 주변의 근육을 다 동원해서 비틀어 쓰기 때문에 근막에도 그 힘의 패턴이 지문처럼 남아서 근막의 유착을 유발한다. 앞뒤의 굽히고 펴는 힘의 패턴이 정상이고 충분한 경우에는 그 지문이 금방 풀리고 힘의 지문도 사라지지만 앞뒤의 패턴이 약한 사람이 회전하는 힘을 계속해서 사용하면 앞뒤를 나눠주는 근막인 격막이 긴장하면서 굳어버리게 된다. 대표적인 격막을 허벅지 옆 라인의 '장경인대'[2]로 보는데 무릎 관절에서 특정 동작을 할 때 통증을 느끼며 소리가 나는 사람의 장경인대를 마사지로 이완하며 풀어주자 증상이 완화되는 경우를 종종 보게 된다. 이 경우 굳어버린 격막이 정상으로 돌아오는데 다소 시간이 필요하며 이완을 위한 마사지를 할 때 격렬한 통증을 느낀다. 퇴행성 문제의 관절통일 때는 반드시 긴장되어 있는 근육들이 있다. 염증이나 통증이 있을 때는 병원을 가야 하며 병원 치료 중이나 치료 후에 긴장 근육을 관리하면 치료 효과가 더욱 좋아질 수 있나.

밀고 당기다

동서양의 운동과 의학은 비슷하면서도 매우 다른 부분이 있다. 인체를 바라보는 시각의 차이는 문명과 종교, 철학 등 많은 변수에 의해 결정이 되기 때문이다. 그래도 역학적으로 볼 때 인종별로 다른 기능을 하는 신체기관은 없기 때문에 같은 뿌리를 가진다는 개념은 존재한다. 근대 보디빌딩 이전까지 신체를 분할하여 훈련한다는 개념은 존재하지 않았다. 총체적인 몸의 기능을 향상시키자는 방향으로 생겨난 기능성 트레이닝은 새로운 트랜드인 것 같지만 사실 보디빌딩 이전의 훈련은 대부분이 이러했다. 부분별로 고립시켜 훈련하는 방향으로 발달한 보디빌딩의 개념은 매우 혁신적이며 흥미로운 것이었으며 업계의 주류로 빠르게 성장할 수 있었던 것 같다. 부분별로 고립시켜 훈련한다는 개념은 일반적으로 웨이트 트레이닝을 즐겨하는 사람들에게 근육의 개별성을 많이 강조하는 것이다. 그것이 가능한 것은 보디빌딩이라는 스포츠가 가지고 있는 특성일 뿐 일반적인 웨이트 트레이닝으로 확대 해석해서는 곤란하다. 우리 몸을 둘러싸고 있는 근육은 개별적으로 존재한다기보다는 서로 일정한 종속성을 가지고 기능하기 때문이다. 예를 들어 어깨와 견갑대, 그리고 등 근육은 목에 종속해 있다. 반드시 영향을 주고받는다. 그렇기 때문에 어깨, 목, 등보다는 밀고 당기는 운동이라고 표현하는 것이 어쩌면 일반론에 가까운 것일 수도 있다. 상체의 웨이트 트레이닝은 너무 많지만 개념은 프레스Press(밀기), 로우Row(당기기) 훈련이 전부다. 팔 운동을 예로 들면 컬Curl은 당기는 동작, 팔 굽혀 펴기는 밀어내는 동작이다.

의외로 많은 육상선수나 축구선수들이 좋은 균형을 가진 광배근과 승모근을 보여준다. 웨이트 트레이닝도 있겠지만 달리기를 할 때 우리가 생각하는 것보다 많이 사용되는 부위가 등이기 때문이다. 특히 달리며 팔을 흔들 때 팔을 흔드는 느낌이 양쪽이 다르게 느껴진다면 광배근의 크기가 다르다고 생각해도 무방하다. 가장 좋은 등 근육 운동인 턱걸이 훈련 중에 종종 당하는 부상이 어깨 부상인데 이것 역시 광배근의 불균형이 원인인 경우가 매우 많다. 광배근은 힘을 내는 근육들 중에 크기가 큰 근육에 속하는 근육이다. 이와 같은 큰 근육이 크기가 다르다는 이야기는 첫 번째, 근육의 불균형이 오랫동안 진행되었다는 뜻이고 두 번째, 광배근과 관련이 있는 안정근도 다 삐뚤어져 있다는 이야기다. 광배근 같은 경우는 불균형이 되었을 때 가슴뼈와 가슴근육에도 영향을 미치고 견갑대의 위치에도 영향을 준다. 견갑대의 특성상 불안정할수록 어깨의 관절에는 공간이 좁아져

서 가동성에 제약을 받거나 통증을 유발하기도 한다. 또한 전거근과 능형근, 견갑거근은 견갑대의 위치를 잡아주는 주변 안정근으로 광배근에 불균형이 있다는 말은 이미 이 근육들도 양쪽의 크기가 다르거나 근육의 모양에 차이가 난다고 봐야 한다. 그래서 바르게 당기기의 처음은 광배근의 양쪽 크기를 체크하고 맞추는 것이다. 오래된 불균형의 결과는 한쪽 근육은 크고 얇아지고 반대쪽은 작은데 두꺼워지는 경우가 많다. 이것은 몸의 보상 작용에 따른 결과다. 먼저 크기를 맞추기 전에 해야 할 것은 양쪽이 다르게 힘을 쓰고 있다는 것을 인지하는 것이다. 이럴 때 당기는 운동으로는 피트니스 센터에서 자주 사용되는 케이블 머신보다는 균일한 인장력을 낼 수 있는 밴드 운동이나 스트레칭 같은 동작으로 양쪽이 현재 다른 상태라는 것을 인지하는 것이 중요하다. 이후에 해야 할 운동은 안정성 운동인데 등척성 운동이 좋으며 사이드 플랭크와 같은 운동은 광배근과 견갑대의 안정성을 확보하는데도 좋고 양쪽의 불균형을 인지하는데 매우 좋은 훈련법이다. 광배근의 인지와 안정은 단순히 상체 전반으로 당기는 동작에만 국한된 것이 아니라 로잉Rowing, 컬Curl, 슈러그Shrug처럼 특정 근육군을 동원해 당기는 동작에도 영향을 주며 목의 움직임에도 영향을 미친다. 그렇다면 마치 세트 메뉴처럼 연동되는 광배근과 견갑근은 당기는 동작에만 영향을 주는 것일까?

미는 동작이라고 불리는 프레스Press 계열 움직임에서 가장 중요한 것은 어깨[3]의 안정성인데 어깨의 안정성 역시 광배근[4]과 견갑대가 일 순위다. 어깨관절은 이른바 소켓 조인트Soket Joint라고 하는 구조를 가지고 있다. 360도 회전하고 움직이게끔 높은 가동력을 가진 대신 구조를 이루고 있는 관절은 단단한 구속력이 없다. 그래서 구조적으로 가동성이 높은 대신 안정성은 떨어진다. 이렇게 모양 자체가 안정성이 떨어지게끔 설계된 어깨관절에서는 견갑대의 자연스러운 리듬이 중요하다. 비유를 하면 '상완골두'라는 사람이 '쇄골'과 '견갑골' 두 명과 만나는데 만나는 사람이 겹치면 세 명이 사이좋게 놀면 되지만 관계가 오래 되면 다투게 될 일도 더 많아진다. 어깨관절은 마치 그런 관계와 같다. 상완골두가 쇄골과 만날 때는 견갑골이 빠져주고 견갑골을 만날 때는 쇄골이 위로 빠져주는 식으로 주고받아야 안정적이라는 이야기다.

굳은 어깨관절은 마음이 굳어져 서로의 위치를 조금도 양보하지 않고 자기 말만 하는 고집불통 성격을 가진 인간과 같다. 쇄골이건 견갑골이건 어느 하나의 동작이 나오면 다른 것도 따라서 나오며 문제가 된다. 이럴 때 인간관계에서는 서로 적당한 거리를 두는 것이 좋다. 어깨관절도 마찬가지다. 견갑골의 안정성과 각 쇄골, 상완골두, 견갑골의 적당한 간격은 안정적인 어깨관절의 구조를 만드는데 너무 멀면 덜렁거리고 너무 가까우면 서로 부딪히며 통증을 유발한다. 위에 열거한 부분들 중 중요하지 않은 부분이 없고 한군데만 이상해져도 전체가 불편해지거나 출력이 떨어지는데 그

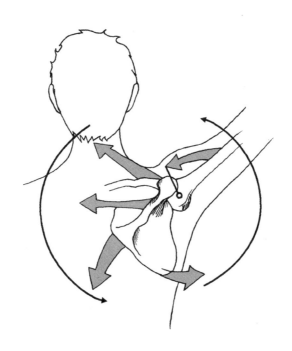

견갑대의 구조

럼에도 불구하고 중요의 우선순위를 정한다면 어떤 뼈가 가장 중요할까? 답은 견갑골Scapula이다. 가장 중요하다고 보는 근거는 아주 단순하게도 '크기' 때문이다. 가장 크고 중앙에 자리 잡고 있기 때문에 회전근개를 비롯한 어깨관절과 연관된 근육과 인대, 건과 같은 연부 조직이 가장 많이 붙어 있다. 쇄골이나 상완골두의 문제 때문에 견갑골이 상하지는 않지만 견갑골에 문제가 생기면 쇄골이나 상완골두는 여러 가시 문제가 생길 수 있다. 우리 몸의 골격은 서로서로 영향을 주고받는다. 견갑골은 흉곽 위쪽에 위치하고 있기 때문에 당연히 흉곽과 갈비뼈의 영향을 받게 된다. 흉곽은 흉추와 서로 영향을 주고받아서 등이 굽어 흉추가 틀어지면 그와 관련된 흉곽도 틀어지고 그 불균형은 견갑대의 움직임에 영향을 미치고 그렇게 된 견갑대의 움직임은 다시 어깨관절의 상완골두와 쇄골에 영향을 준다. 그래서 어깨관절의 안정성을 위해서는 견갑골의 위치를 바르게 잡아주는 흉곽의 바른 정렬과 이 주변에 연결되어 같이 영향을 주고받는 견갑거근, 능형근[5], 전거근[6]의 안정성이 필요하다.

이런 근육들의 안정성을 자가진단하는 가장 기초적인 방법은 거울로 자신의 머리와 목의 위치를 보는 것이다. 안정성의 근원일수도 있는 머리와 목의 위치는 중력을 분산시키는 일차 방어 기지와 같은 곳이기 때문에 머리와 목의 위치가 좋아지면 머리의 무게 분산도 잘되면서 견갑대의 움직임이 더 쉬워진다. 오십견이나 어깨 충돌 증후군처럼 어깨에 기능 이상이 있는 사람들은 숄더 패킹Shoulder Packing을 열심히 하는데 진전이 없는 경우가 종종 있다. 이런 사람들 거의 대부분 머리와 목의 위치가 좋지 않아서 머리와 목의 위치를 정렬해주면 거짓말처럼 좋아진다. 머리와 목의 위치는 어깨관절의 숨구멍 같은 것이라 이해하면 될 것이다. 여기에 근력 운동을 해서 근육의 크기나 근력이 늘어난다면 더욱 좋아질 것이다. 그렇다고 정렬을 위한 교정 운동은 등한시하고 운동만 해서 크기만 커지면 근육의 긴장도가 더 올라가 통증이 더욱 심해진다. 좋은 운동은 근력과 탄성은 올라가고 근육의 긴장도는 떨어지는 것이다.

밀기 운동을 할 때 견갑대에서 모든 견갑골을 잡아주는 근육들이 중요하지만 그중에서도 가장 중요한 근육은 전거근이다. 견갑대를 잡아주는 근육 중 호흡과 가장 연관이 많은 근육이 바로 전거근이다. 전거근은 갈빗대에 오밀조밀 골고루 붙어 있는 근육이다. 흉추와 갈빗대에 문제가 생기면 이것을 바로 감지하는 근육이자 이 문제를 견갑골에 전달하는 근육이기도 하다. 또 반대로 능형근이나 견갑거근의 문제 혹은 경추와 흉추의 불균형으로 움직임의 리듬이 망가져도 전거근의 안정성으로 충분히 보상을 해준다면 어깨를 통증 없이 쓸 수 있다. 그래서 당기는 운동의 광배근이면 밀기 운동의 전거근이라고 해도 과언이 아니다. 당기는 운동의 광배근이 능동적으로 바른 움직임을 유도한다면 밀기 운동의 전거근은 움직임보다는 바른 안정성을 높여주는 역할을 한다. 실제로 전거근은 광배근처럼 능동적으로 전거근을 자극할 수 있는 운동을 찾기도 동작을 수행하기도 어렵다.

남녀 관계에서도 밀고 당기기의 중요한 포인트는 관계가 계속 이어져야 한다는 것이다. 미는 쪽이나 당기는 쪽이 한쪽만 강하면 그 연애는 고통스럽기만 할 것이다. 밀고 당기기에서 중요한 것이 밸런스와 안정성인 것처럼 운동도 마찬가지다. 사실 밀고 당기는 운동에서도 각각의 운동이 따로 존재하는 것이 아니다.

그림은 휴먼 텐세그리티Human Tensegrity를 이미지화한 모습이다. 운동이 아닌 직립이나 보행 같은 기본적인 움직임에도 우리의 몸은 밀기와 당기기로 끊임없이 미세하게 장력을 조절하며 균형을 잡는데 이것은 그 자체로 매우 고등한 동작이다. 약한 쪽을 부분 보강 운동시키기보다는 양쪽을 같이 운동하면서 밸런스를 맞추는 것이 장기적으로 볼 때 더 효과적인 방법이다. 축구선수들의 슛 동작을 보면 단순히 다리의 앞부분만을 사용하는 것이 아니라 다리의 뒷부분과 엉덩이 근육도 같이 사용하는 것을 알 수 있는데 이것은 매우 효율적이며 밀고 당기는 운동에서 장력의 밸런스를 보여주는 좋은 예다. 물론 부분 보강을 섞어서 하면 더욱 효과는 뛰어나다. 부분 보강을 하고 기능적인 훈련으로 움직임의 패턴을 만들고 양쪽을 대칭으로 쓰는 훈련을 같이하는 것이 좋지만 약한 쪽을 집중적으로 부분 보강 운동만 하는 경우가 많기 때문에 개선할 필요가 있다. 중력과 관절로만 본다면 축구선수의 킥 동작은 대퇴사두근[7]이 주동근이 되지만 사실 둘 다 협력하여 동작을 만들어내는 것이지 어떤 것이 주가 되는 주동근이고 어떤

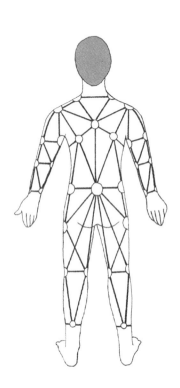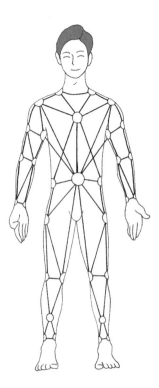

휴먼 텐세그리티|Human tensegrity

것이 부가 되는 길항근이라는 개념은 다분히 보디빌딩식 웨이트 트레이닝적 발상이다. 힘의 비율은 이야기할 수 있지만 주동근 대퇴사두근 70%, 길항근 대퇴이두근이 30%라고 해서 주동근이 더 중요하다는 개념이 아니라는 뜻이다. 70%는 70로 중요한 것이고 30%는 30로 중요한 것이다. 중요한 것은 7:3의 비율이 균형을 맞춰 조화롭게 협력하여 하나의 동작을 만들어내는 것이고 이것이 제대로 되지 않을 때 결과적으로 좋지 않은 동작을 만들어낸다는 것이 더 바른 이해다. 일반적으로 사람들은 저 비율을 인위적으로 조절하고 싶어 한다. 실제로는 전신의 굴근과 신근을 적절히 효율적으로 사용한다고 보는 것이 더 현실적인 개념에 가깝다. 그리고 이런 밀고 당기기의 조화는 이미 보행에서 하고 있는 것들이다. 보행 패턴이나 달리기의 주법이 바른 방법으로 바뀌면 피로감을 덜 느끼는 것이 좋은 예다.

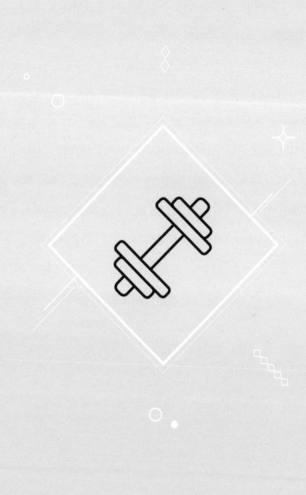

PART 3

움직이지 않는 동물,
귀차니즘

선악과

　　아주 오래전 지금과 같은 형태로 진화를 마친 인류는 다른 동물들과 마찬가지로 생긴 대로 살았다. 육식동물이 사냥을 하고 초식동물이 풀을 뜯어먹듯 인류 역시 태어난 그대로의 자연스러운 방식으로 생존했고 그것은 아주 오랜 시간 동안 영위되었다. 그런 인류의 생활 패턴은 두 번의 혁명으로 완전히 바뀌었다. 농경혁명으로 인해 수렵과 채집이 아닌 경작과 잉여생산물에 따른 기본적이고 원시적인 경제가 생겼고 산업혁명 이후로는 인류가 생존을 위해 하던 일의 패턴이 혁명이라는 단어에 걸맞게 혁명적으로 바뀌게 된다. 산업혁명을 기준으로 문명의 이기는 일 년이 백 년처럼 발전하기 시작했다. 직립하는 동물답게 수백만 년간 몸을 똑바로 펴고 먹고 살던 인간은 좀 더 편하게 문명의 이기를 누리기 위해 서서히 몸을 굴곡시키기 시작한다. 물론 그 이전에도 양잠이나 베 짜기 같은 노동을 위해 일부 그렇게 하기도 했지만 19세기 산업혁명기처럼 범국가적으로 먹고 살기 위해 방직공장 기계 앞에서 몸을 굴신시켰던 것은 아마 처음이 아니었을까 싶다. 그래서 혁명이다.

이렇게 꼬부라진 체형을 향해 첫걸음을 시작한 인류는 처음으로 방직 공장 기계 앞에서 몸을 말고 생활하기 시작한 이후 20세기 들어 의자와 책상 앞에서 더욱 '몸 말기'에 박차를 가하더니 21세기에는 각종 컴퓨터와 휴대전화 앞에서 좀 더 심오하게 몸을 말고 생활하기에 이른다. 심지어 일을 끝내고 휴식을 취할 때도 수파에 파묻혀 기꺼이 몸 말기를 두려워하지 않게 뇌었다. 냉혹한 생태계에서 생존을 위해 바르고 곧게 몸을 펴는 것으로 이룩한 인류의 생물학적 번영이 고도의 문명을 더욱더 강력하게 누리기 위해 다시 오스트랄로피테쿠스Australopithecus 이전 시대로의 선택을 하게 된 것이다. 직립한 인류가 농경혁명으로 이룬 거대한 업적은 자연과 생태계 파괴다. 더 잘 먹고 잘살겠다고 다른 종의 동식물을 멸종시키는 파괴적인 행보를 시작한 이래 1만 년이 지난 후 '신체를 굴곡시킨 채 생활한다'라는 너무도 간단한 방법으로 스스로를 파괴시켜 그들에게 속죄를 시작한 것이 아

닌가 싶다. 파괴라는 표현을 쓸 정도로 직립 인류가 굴곡진 자세를 오래 유지하는 것은 매우 불리하다. 인류의 직립은 양날의 검과 같다. 인류 번영의 시발점이자 통증의 시작이기 때문이다. 수 억 년 전과 다를 바 없는 신체를 가진 상어처럼 완벽에 가까운 진화를 이룬 동물은 흔하지 않다. 살아 있는 화석은 화석이 아니라 그로써 완전체다. 살아남기 위해 더 이상의 진화는 필요 없기 때문에 그 형태 그대로 살아온 것이다.

인류는 과연 어떠할까? 상어와는 비교하기 어려울 정도로 진화의 역사가 짧지만 범인류적인 생활 패턴의 변화를 두 번이나 겪은 인류는 생물학적인 변화를 거부한 채 차라리 아픈 것을 고치는 방법을 선택하게 된다. 우리는 그것을 의학이라고 부른다. 물론 호모사피엔스는 구조적인 문제점을 가지고 있다. 앞으로 그런 구조적인 문제점들에 대해 이야기할 것이다. 호모사피엔스는 참으로 부지런한 동물이다. 지구 곳곳에 살지 않는 곳이 없을 정도로 부지런히 이동하고 부지런히 정착하고 부지런히 만들어내고 부지런히 파괴하는 사이클을 수도 없이 반복하면서 살아가고 있으니 말이다. 그러나 인간은 지구상에서 가장 게으른 동물이기도 하다. 손가락 하나 까딱하기 싫은 게으름을 위해 만들어낸 것의 역사가 바로 문명의 역사이기 때문이다. 가장 게으른 사람을 프로그래머로 고용해야 가장 편리한 프로그램을 만든다는 IT 업계의 오래된 농담도 일리가 있는 말이다. 가장 부지런하기도 하고 가장 게으르기도 한 이 모순덩어리들이 살아가고 있는 21세기 현재, 미식을 즐기기 위해 먹고 토하기를 반복했던 고대 로마의 귀족들처럼 우리는 일하기 위해 그리고 움직이지 않는 즐거움을 누리기 위해 컴퓨터 앞에, 휴대전화 앞에 목과 허리, 골반을 말아 넣고 심화된 부동(不動)의 세계로 향하고 있다. 이토록 짧은 시간 안에 인류가 문명의 이기 앞에 기꺼이 고개를 숙였던 적이 있었을까? 우리를 부동의 쾌락에서 벗어나지 못하게 하는 원인은 대체 무엇일까?

> 정답 : 귀차니즘

이른바 '현상 유지 편향Status Quo Bias'이라는 것이다. 인간이라는 존재는 한 번 성립된 패턴에 대해서는 특별한 이득이 주어지지 않는 한 바꾸지 않으려고 하는 일반적인 성향이 있다. 모두 공감하리라 생각한다. 귀차니즘의 긍정적인 순기능은 인간의 생활을 좀 더 윤택하게 만들기 위한 도구나 시스템을 개발하는 계기라고 할 수 있다. 부정적인 면은 무기력증이나 우울증의 원인이 되기도 한다는 점이다. 현상 유지 편향, 즉 귀차니즘은 인류의 보편적인 성향으로 보이며 노벨상을 수상한 행동경제학자 다니엘 카네만Daniel Kademan 같은 학자들은 이를 증명하기 위한 여러 실험들을 진행했다. 현상 유지 편향은 많은 사회적, 경제적, 정치적 분야에서 관찰되고 이용되고 있다. 놀랍다. 별종이라고 생각했던 귀차니즘 보유자들이 인류의 보편적인 성향이며 정도의 차이만 있다는 말이다. 이것은 통증을 유발하는 자세를 오랫동안 유지하는 것과도 관련이 있다.

잘못된 자세 습관은 대체적으로 '편안하다', '안락하다'는 느낌으로 인식된다. 근육과 자세 관련 감각이 일을 하지 않기 때문이다. 사실 잘못된 자세는 불편해야 말이 된다. 그러나 인류가 발명한 등받이 의자와 침대 앞에서는 이야기가 달라진다. 불편한 자세에서 오는 불편함을 등받이와 푹신한 매트리스로 안락하고 편안하게 바꿔버린다. 이런 것들로 인해 자신의 통증이 완성되었다는 사실을 알게 된 후에도 쉽게 고쳐지지 않는다. 당장 느끼기에 편하고 안락하기 때문이다. 인류에게 직립이라는 신체 구조가 원죄라면 원죄를 유발하는 선악과는 아마도 '귀차니즘'일 것이다. 양날의 검인 귀차니즘과 더불어서 호모사피엔스를 '만물의 영장'으로 만들어준 생물학적 축복은 무엇이었을까? 고도로 발달했다고 말하는 문명의 이기로 무장하고 무자비한 포식자의 위치에 오른 인간이라는 영장류의 번영은 어디에서 기인한 것일까? 다른 동물에 비해 대용량을 자랑하는 뇌적 용량이라는 말도 설득력이 있다. 인류보다 질량과 부피면에서 더욱 압도적인 크기를 자랑하는 동물도 많지만 추상적이고 관념적인 '개념'이라는 응용 프로그램을 뒷받침해줄 OS^Operating System(운영체계)를 갖지 못했다. 때로는 인간에 가까운 지능을 가진 놀라울 정도의 판단력을 보여주곤 하는 고등동물들이 나타나곤 한다. 돌고래나 침팬지 같은 동물들의 지능은 놀라울 정도다. 그럼에도 불구하고 그들과 인간의 격차는 업계 1위와 2위의 격차보다 훨씬 더 멀고멀다. 뇌적 용량의 차이와 학문이라는 무형의 창조물을 탄생시킨 추상적 개념의 이해만으로도 인간은 문명을 발달시키고 압도적인 포식자의 위치에 오르기에 부족함이 없어 보인다. 그러나 직접적인 원인이라고 보기에 이것들은 너무나 거시적이다. 더 미시적 관점에서 생각해보면 생물학적으로 좀 더 진화된 형태의 뇌를 필요로 하고 끊임없이 학습을 하도록 자극하고 동기를 부여해준 그 어떤 것이 존재할 것이다. 그리고 그것은 '직립'과 '엄지손가락'이었을 것이다. 걷고 뛸 때 내장 기관의 과부하를 피할 수 있어 장거리를 이동하는데 용이하도록 빌달된 구조의 직립과 도구를 사용하는데 적합한 엄지손가락이야말로 인류를 지구상 최강 포식자의 위치에 올려준 자극의 시발점이 아닐까 싶다.

네 발로 서 있는 동물의 시야와 두 발로 서 있는 인류의 시야는 그야말로 다른 세계라고 해도 좋을 정도로 완전히 다른 시계(視界)다. 일각에서는 눈을 뇌의 일부로 보기도 한다. 다른 포유동물을 포함해서 모든 장기들 중 유일하게 뇌와 직접 연결되어 있는 장기는 안구가 유일하며 발생학적으로도 안구의 뒤쪽은 뇌의 일부가 변형되어 생긴 부분이다. 눈으로 보는 것만큼 뇌에 직관적으로 정보를 전달하는 것은 없으며 이것은 뇌라는 운영체계를 업그레이드시키기에 충분한 자극이었을 것이다. 두 발로 서서 보는 시야의 관찰력은 이전에 네 발로 서서 관찰하던 것과는 차원이 다른 자극을 뇌에 전달하게 되었을 것이고 더 많은 정보를 필요로 하는 직접적인 원인이었을 것이다. 여기에 도구를 이용하는데 적합한 손으로 변화하는 과정은 폭발적으로 뇌의 창의성을 자극했을 것이고 이는 뇌적 용량의 변화로 가는 강한 촉진제가 되지 않았을까 추측해본다. 뇌와 눈, 뇌와 손의 상관관계는 뒤에 이야기하고 '직립'에 대한 이야기를 조금 더 해보겠다. 두 발로 서서 걷는 동물들은 더러 있지만 주로 직립하여 생활하는 종(種)은 인류뿐이다. 즉, 직립은 인류라는 종족의 특징인 셈이다. 인간이 어떻게, 왜 직립을 하게 되었는가에 대한 것은 아직도 진행 중인 이야기이지만, 인류의 통증 연대기에서 가장 중요한 키워드임에는 틀림이 없다. 좀 더 정확하게 이야기하자면 현대 인류의 통증 연대기의 출발점은 바로 직립이다. 직립은 단순하게 두 발로 서 있는 존재의 정체성을 나타내는 차별점이라는 것을 넘어 매우 중요한 차이점을 말하는데 '중력의 압박을 받는 방향'이 유일하게 다른 존재라는 뜻이다. 사족 보행을 하는 동물들과 직립을 하고 있는 인류의 척추 정렬 방식 자체가 다르고 이것은 중력이라는 전 방위적 압박을 몸 전체로 분산시켜 균형을 유지하는 메커니즘 자체가 아예 다르다는 것을 의미한다. 이렇게 다른 프로세서 때문에 인간과 동물은 근원적인 통증의 원인과 구조 자체가 다르다.

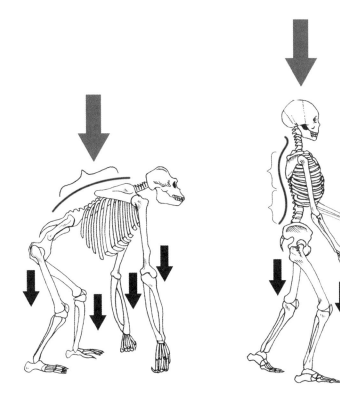

인간과 사족 보행 동물의 중력 압박 방향 비교

귀차니즘과 직립의 앙상블이 빚어내는 최초의 고통은 바로 요통(腰痛), 허리 통증이 아닌가 싶다. 다른 부위의 통증도 많은데 어째서 허리 통증일까? 두 발로 직립한 인간과 네 발로 서 있는 동물의 차이는 중력이라는 압력을 분산하는 구조의 차이다. 인간의 요통이 발생되는 원인은 여러 가지가 있겠지만, 동물이건 인간이건 지구상에서 살아가는 생물이라면 형태를 유지하기 위해서 기압과 중력이라는 압박을 버텨내야 한다. 심해어가 엄청난 수압에 적응해서 살다가 지상으로 올라오면 형태가 망가지는 것을 볼 수 있다. 외형적인 형태는 근육과 뼈가 만들어낸 기본적인 모양이다. 이것을 결정하는 일차적인 요인은 보이지 않는 힘인 중력과 기압이다. 같은 1기압 1중력 하에 살고 있는 생명체라면 당연히 네 발로 서 있는 편이 중력을 분산시키는데 유리할 것이다. 허리 통증으로 고통 받는 환자들에게는 무릎을 꿇고 네 발로 기는 자세를 만들어 통증을 완화시키기도 하는데 이것은 두 발로 서서 중력을 받아 분산시키는 것보다 몇 배는 안정적이기 때문이다. 그러나 단순히 서 있는 것에서 문제가 끝나는 것이 아니라 걷기나 달리기로 영역이 확장되면 무게 중심을 분산시키는 것에서 더욱 심각한 문제가 발생하게 된다. 두 다리로 걸을 때 좌우로 지지해야 하는 체중은 분산되지 않는다. 예를 들어 체중이 70kg라면 35kg씩 반반 분산되는 것이 아니라 발이 앞뒤로 교차될 때 70kg의 온전한 체중이 좌우로 핑퐁하게 된다는 말이다. 이것은 기본적인 걷기에서 그런 것이고 좀 더 복잡한 움직임으로 가면 좀 더 많은 압력을 감당해야 한다. 예를 들어 걷기보다 아주 약간 복잡한 동작인 달리기만 해도 부담은 체중의 3~4배로 늘어난다. 그렇다면 몸의 구조가 중력을 받아 중심이 잘 분산된다는 것이 요통과 어떤 관계가 있을까? 설명에 들어가기 전 개념 하나만 외치고 들어가겠다.

"요통과 허리 곡선, 직립은 하나다."

뼈로 이루어진 탑과 같은 구조의 척추는 유연한 곡선을 그리고 있다. 신체의 가장 위에 존재하는 머리의 무게에 수직 방향으로 작용하는 중력까지 더해져 직립하고 있는 신체는 이러한 압박에 유연하게 대처해야 하기 때문에 이런 곡선이 생겼을 것이라 추측한다. 또한 이것은 몸통을 중심으로 우리의 몸이 1번 안정성, 2번 움직임 중 2번 움직임을 선택한 것에 대한 보상이다. 인간의 몸은 갈비뼈가 끝나는 부분과 골반뼈가 시작되는 부분 사이에 뼈가 존재하지 않고 근육만 존재한다. '그게 뭐?'라고 생각할 수 있겠지만, 안정성이라는 측면에서 본다면 골격이 존재하는 부위의 안정성과는 비교할 수 없는 불안정성을 가지고 있는 셈이다. 그래서 이 부분에 존재하는 요추를 중심으로 마치 코르셋처럼 근육이 감싸는 구조를 가지고 있다. 만약 1번 안정성을 택했다면 갈비뼈처럼 복부에도 골격이 생겼을 것이고 우리는 사고가 나지 않는 이상 요통 같은 것은 몰랐을 것이나 허리를 굽히지도 몸통을 좌우로 돌리지도 못하는 존재가 되었을 것이다. 보행을 비롯한 원활한 움직임을 위해 우리 몸은 이 부분을 구성하는 요소로 근육을 선택했고 평소 생활하면서는 인식하지 못하지만 최소한의 안정성을 위해 복압(배 안의 압력)을 이용하게 된 것이다. 이러한 불안정성을 기반으로 요통을 발생시키는데 일등 공신이 하나 더 있었으니 이름하여 장요근Iliopsoas Muscle(腸腰筋)이라고 불리는 근육이다.

장요근

"호모사피엔스가 진화의 완전체인가"라는 질문에 "아니오"라고 대답할 수 있는 이유는 많지만 직립과 특히 장요근이라는 근육은 대척점에 서 있다. 장요근은 척추와 하체 전반을 연결하는 근육이며 요추의 힘을 고관절로 고관절의 힘을 요추에 상호 전달하는 근육이기도 하다. 한마디로 상체와 하체의 힘을 조합시키는 역할을 하는 근육인 장요근은 스트레스를 받으면 짧아지며 굳어지면 요통을 유발하는데 재미있는 것은 운동하는 사람들보다는 운동하지 않고 오래 앉아 있거나 서서 움직이지 않고 업무를 보는 사람들에게 많이 나타난다. 일반적으로 다른 근육들은 계속된 움직임으로 긴장하고 그것이 쌓여 통증으로 나타나는 반면 장요근은 가만히 서 있거나 앉아 있을 때 긴장을 유지하는 구조를 가진다. 우리가 직립하고 있기 때문인데 허리를 바른 자세로 펴고 머리가 위쪽을 향해 있는 자세를 유지한 상태에서 서 있거나 걷거나 앉는 모든 동작에 장요근이 관여하며 긴장할 수 밖에 없는 구조를 갖기 때문이다. 마치 이것은 직립을 위한 희생

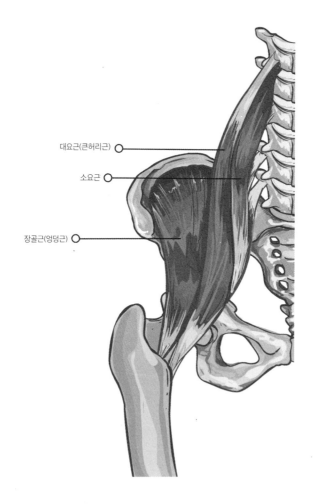

대요근(큰허리근) ○

소요근 ○

장골근(엉덩근) ○

장요근

양처럼 보일 때도 있다. 그렇기 때문에 운동을 하거나 일상생활을 하다가 만나는 요통의 원인으로 자주 지목되는 것은 디스크지만, 실제로 디스크로 생기는 요통보다 장요근이 고장 나서 생기는 요통이 훨씬 더 많다고 말해도 과언이 아닐 정도로, 이상이 발생하면 요통을 유발하는 대표적인 근육이다. 장요근이 좋지 않아서 발생하는 요통의 증상은 척추를 따라 발생하며 고관절에서 엉덩이까지 통증이 생긴다. 또한 횡격막 근육[1]과도 밀접한 연관이 있기 때문에 호흡할 때 흉통이나 복통을 동반하는 경우도 있으며 신체는 통증을 피하기 위해 고관절을 지속적으로 구부리게 된다. 그래서 디스크처럼 저리는 증상 없이 오로지 통증만으로 허리를 잘 펴지 못하는 증상을 보일 때 먼저 장요근을 의심하게 된다.

척추와 요추가 중력과 체중 사이에서 튼튼한 완충제 역할을 한다면 장요근은 일종의 콘트롤러Controller 같은 역할을 한다. 직립을 한 인간의 장요근 구조를 보면 골반을 감싸고 지나간다. 아무것도 하지 않고 서 있어도 요추를 지탱하면서 무게를 다리로 연결시켜야 한다. 그러나 가만히 아무것도 하지 않고 서 있는 것도 어려운 일이다. 오래 서 있으면 무의식적으로 좌우로 중심이 왔다 갔다 하기 때문이다. 여기서 또 하나, 허리를 꼿꼿하게 펴지 않고 스마트폰이나 컴퓨터를 할 때처럼 몸을 안으로 말고 유지하면 요추와 척추의 개입이 상대적으로 적어지기 때문에 중력에 따른 체중의 분산을 장요근 혼자 떠안게 되어 바로 직격탄을 맞는다. 장요근은 가만히 서 있다고 해도 이완된 상태로 있는 것이 힘들다. 장요근이 스트레스 받아서 뭉치면 허리 통증을 유발하는데 여러 증상이 있지만 일반적으로는 허리가 잘 안 펴지며 아픈 증상이 생기고 보행도 불편하다. 그렇다면 네 발로 서 있는 동물들은 어떨까? 네 발로 서 있는 자세의 동물들 역시 장요근이 관여하지만 '네 발'이라는 구조 덕분에 척추와 장요근의 부담이 많이 줄어들며 몸을 안으로 말고 있어도 복근이 더욱 깊이 관여하기 때문에 부담이 덜하다. 디스크에 문제가 있는 사람은 디스크 문제가 있는 방향에 따라 다르겠지만 장요근 긴장과 같이 근육이 문제가 되어 발생한 요통은 사족 보행 동물처럼 네 발로 기는 자세가 부담이 적으며, 급성으로 생긴 요통에 가장 좋은 자세는 네 발로 기는 자세 그대로 옆으로 눕는 자세다.

장요근은 바로 누운 자세에서도 제대로 이완되기 힘든 근육으로 어떤 동작에서 수축하고 어떤 동작에서 이완되는 구조가 아니다. 가장 좋은 것은 서 있는 자세에서 바르게 체중을 분산시켜 장요근의 압박을 덜어주고 되도록 자주 움직이고 마사지해서 긴장을 풀어주며 관리해주는 것이다. 거의 유일하게 장요근의 부담을 덜어줄 수 있는 자세가 바로 네 발로 기는 자세며 그대로 옆으로 눕는 자세가 장요근에 가장 부담이 덜하다. 실제로 병원에서 하반신을 마취시킬 때도 취하는 자세다.

요통에 네 발 동물들이 유리한 것은 구조적인 차이에서 오는 유리함이다. 인류의 직립과 연관된 근육들은 인류가 문명이라는 번영을 맞이할 수 있게 해준 프로메테우스의 불씨이며 프로메테우스의 간(肝)이기도 하다. 신은 인류에게 직립이라는 신의 불씨로 세상을 지배하게 했지만 그 대가로 요통을 앓게 했다. 직립에 필요한 가장 중요한 근육 대부분이 요통과 관련이 있다. 요통에 대한 동물들의 구조적인 유리함은 그들이 직립을 하지 않기 때문이라고 해도 틀린 말은 아니다. 앞서 이야기한 장요근의 긴장과 이완도 같은 문제다.

봉증의 시작은 이것 하나뿐만이 아니다. 문명을 유지시키기 위해 직립에서 의자에 앉게 된 인류는 더 큰 문제와 만나게 된다. 바로 코어 근육과 엉덩이 근육의 기능적 퇴화다. 뇌에서 내리는 명령이 해당 근육에 전달되어 제 기능을 발휘하기 위해서는 인지가 제대로 잘되어야 하는데 앉아 있는 자세에서는 코어와 엉덩이 근육을 쓸 필요가 없고 장기화된다면 인지능력도 떨어지기 때문에 생물학적인 퇴화가 아닌 기능적 퇴화라고 말한다. 장요근이 직립을 위해 혹사당하는 구조로 발달했다면 둔근[2]은 다른 동물들에 비해 매우 유리하게 발달되었다. 둔근은 직립의 구조를 유지하는데 그치지 않고 걷고 달리는 존재로서의 정체성을 나타내주는 근육이다. 다른 동물과 특별히 다른 인간의 생리학, 생체학적 이점은 달리기 특히 오래 달리기 능력이다. 네 발 달린 동물의 경우 짧은 시간은 인간보다 훨씬 빠르게 달릴 수 있으며 동네 공원에서 흔히 볼 수 있는 강아지들도 단거리 육상선수를 능가하는 스피드를 낸다. 그러나 인간처럼 오랫동안 일정한 속도를 유지하며 달릴 수는 없다.

이것은 장기의 안정성과 체온 때문인데 네 발로 달리면 장기 기관이 앞 뒤로 요동을 치고, 심부 체온이 인간처럼 직립보행하는 것에 비해 빨리 오르고 쉽게 발산이 되지 않기 때문이다. 인간과 다른 영장류인 침팬지는 비슷하게 걷는 동작을 할 수 있지만 인간처럼 오래 두 다리로 달릴 수는 없다. 신체적으로 많은 유사성을 보이는 인간과 침팬지지만 둔근을 보면 인간에 비해 침팬지의 둔근은 거의 발달해 있지 않다. 다른 네 발 동물들은 말할 것도 없다. 특히 대둔근은 몸에서 가장 크고 강한 근육이다. 대둔근은 중둔근, 소둔근과 연결되어 있으며 이들은 인간이 달릴 때 대부분의 추진력을 생성시키는 강력한 엔진이다.

이렇듯 걷고 달리는 능력의 엔진이라고 할 수 있는 엉덩이 근육, 즉 둔근이지만 현대인들은 매일 오랜 시간 동안 엉덩이를 깔고 앉아 있다. 오랫동안 전원이 꺼져 있던 기계는 제 기능을 발휘하기 힘들다. 보행과 주행을 위해 발달된 둔근이 기능하는 법을 잊는다면 다른 근육들에 의지해서 걷고 달려야 하고 그렇게 생긴 기능 저하는 통증으로 나타난다. 본래 신체의 구조란 움직임에 의해 결정되기 때문에 움직임으로 활성화되어야 정상적인 기능을 할 수 있는 법이다. 기능하는 법을 잊은 근육에 스트레스가 생기면 힘주어 수축만 할 뿐 제대로 이완하지 못한다. 둔근의 통증은 대체적으로 허리에서 나타난다. 또한 둔근은 달릴 때 안정성을 제공하기 위해서 일반적으로 말하는 코어 근육과 함께 힘을 발휘한다. 코어와 엉덩이 근육은 직립한 인류를 지탱해주는 기둥 같은 근육이다. 근래 들어 이 부분의 트레이닝이 유행하고 있는 것은 망가진 수요자들이 증가하기 때문은 아닐까 추측해본다. 문명은 발달하고 인간은 퇴화한다는 말은 문명을 유지하기 위해 인간은 퇴화를 선택한다고 바꿔야 할 것 같다. 가만히 있었는데 아프다는 것은 불합리한 것이 아니라 무지한 것이다.

요통과 디스크, 쾌락의 대가

가터벨트Garter Belt와 코르셋Corset에 대한 이야기를 잠깐 해보겠다. 가터벨트나 코르셋과 같은 보정의 개념을 가진 언더웨어의 역사는 오래되었다. 몸매를 보정하고 허리를 받쳐주고 가슴도 받쳐주는, 다양한 미적 기능이 한두 개가 아니다. 관리에 방심하면 처지는 부위 전반에 걸쳐 빈틈을 방어해주는 고마운 보정 속옷과 관련된 부위가 있다. 우리 몸속의 코르셋이라고 불리는 것들이다. 복압과 코어 근육이 그것인데 앞서 이야기한 것처럼 직립을 위해 호흡으로 장력을 만들어주는 존재들이다. 가터벨트와 코르셋은 속옷으로의 역사를 가지고 있지만 이것들의 구조를 자세히 들여다보면 요통 환자들의 허리를 받쳐주는 의료 보조기와도 닮았다. 실제 방심하면 처지는 부위의 근육군들은 약해지면 약해질수록 요통과 만날 가능성이 높아진다. 사고나 부상으로 허리가 아픈 것은 지구상에 사는 동물이라면 어떤 개체나 평등하게 생길 수 있는 사건이다. 그러나 인간은 구조적으로 요통에 취약한 동물들이다.

급성 허리 통증으로 병원을 찾는 사람들의 거의 대부분은 여러 가지 복잡한 진단을 위한 검사 과정을 거쳐 결국 '염좌'라는 진단을 받곤 한다. 심각한 요통의 대명사인 디스크(추간판 탈출증)가 아니라 다행이라며 가슴을 쓸어내리지만 이내 앉고 서는 정도의 기본적인 일상생활에도 많은 제약이 생긴다는 것에 절망하게 된다. 이런 '근육성 요통'은 강한 강도의 운동을 하다가 얻는 경우보다 아침에 잠자리에서 일어나다가, 귀찮은 집안일을 하고 잠시 숨을 돌릴 때 혹은 물건을 집으려고 허리를 굽히다가 갑자기 생기는 경우가 많으며, 척추 중간 부위가 아플 수도 있으며 양쪽 엉덩이 위쪽에 통증이 나타나서 허리를 굽힐 수도 펼 수도 옆으로 굽힐 수도 없는 경우가 대부분이다. 인간은 직립 구조로 살아갈 수밖에 없지만 몸의 장력을 골고루 분산시켜 고정 자세로 가만히 있는 것이 거의 불가능하다. 작게는 미세하게 균형을 잡기 위해 움직일 것이고 크게는 오히려 정말 좋지 않은 자세를 유지하는 것을 즐기는 자기학대적인 면이 인간에게 있다. 먹는 것도 몸의 자세도 좋지 않은 것이 달콤하다. 이런 운명 같은 이야기로 보았을 때 '근육성 요통'이야말로 그 쾌락의 대가다.

반복하는 이야기 같지만 인간의 척추를 기준으로 3, 4, 5번 요추는 이것을 지지해주고 안정성을 보장해주는 골격이 없다. 그래서 이 부분의 안정성은 특이하게도 장요근, 다열근3>, 복횡근4>, 골반저근, 요방형근, 횡격막 등의 근육군(群)들의 균형으로 유지되며 이들이 만들어내는 복압의 형성이 매우 중요하다. 일반적으로 우리가 코어라고 지칭하는 근육들이다. 이러한 근육들이 밀어주고 당겨주는 균형을 맞추면서 몸의 기둥이 되는 척추와 요추의 간격을 맞추는 역할을 한다. 무조건 복압이 강하고 등 근육이 강하다고 좋은 것이 아니다. 간혹 웨이트 트레이닝을 열심히 하는 사람들 중에 허리가 일자인 경우가 종종 생긴다. 허리의 곡선이 없어진 것인데 보통의 근육학 관점에서는 이른바 식스 팩이라고 하는 부위인 복직근rectus abdominis5>의 긴장이 심하고 허리 근육이 약하면 일자나 심하면 허리가 뒤로 휘게 되는 후만, 허리 근육이 강하고 복직근이 약하면 앞으로 휘게 되는 전만이 된다. 이러한 데이터는 허리를 기준으로만 생각하지 말고 몸 전체를 생각할 때 각기 다른 방향으로 움직일 수 있는 각 근육들의 밀고 당김 균형이 중요한 문제라는 것을 알게 해준다.

한 텔레비전 건강 관련 프로그램에서 코어 근육을 정리해주었는데 결과만 이야기하면 코어는 골반저근, 횡격막, 다열근이었다. 틀린 말은 아니지만 몸통의 안정성에 관여하는 근육은 훨씬 많다. 조금 더 꼼꼼하게 나열해보면 다음과 같다.

복횡근, 요방형근, 골반저근, 장요근

몸통의 가장 안쪽에서 복압을 유지하고 형성하는 근육 그룹. 직립을 완성할 수 있도록 구조를 만들어주는 근육들이라고 볼 수 있다.

복직근, 척추기립근, 외복사근 ,내복사근

몸을 원활하게 움직일 수 있게 만들어주는 다이내믹한 근육들이다. 몸통을 전후좌우로 움직일 수 있도록 해준다.

요새 코어 근육을 많이 강조하는데 자칫 근육 자체를 강화시키는 것에만 초점을 맞추는 오류를 경계해야 한다. 안정성은 단순하게 해당 부위를 운동시켜 근육의 크기를 늘리는 것에서 끝나는 것이 아니다. 중요한 것은 균형인데 코어 근육을 단련시키는 것에서 해당 근육의 인지를 유도해내고 이것이 바른 움직임 패턴으로 나와 주어야 한다. 우리 몸의 힘을 내는 근육들은 대부분 신전근(펴지는 근육들)이다. 그렇기 때문에 우리가 직립 인류로 발전했다고 보는 가설도 있다. 왜냐하면 인류가 할 수 있는 가장 강력한 펴는 동작이 직립이기 때문이다.

우리 몸에는 '항중력근'이라고 하는 것들이 있다. 이것들은 중력에 대항하는 근육으로 우리 스스로 중력을 매 순간 느끼면서 살아가지 않을 수 있는 것은 항중력근 덕분이다. 이것은 마치 윈도우와 같은 OS^{Operating} System(운영체제) 프로그램의 시스템 구동 파일과 같다. 컴퓨터를 켜면 모니터에 펼쳐지는 윈도우는 사실 수많은 시스템 구동 파일에 의해 굴러가는 프로그램이다. 아무렇지 않게 서고 걷는 모든 일상적인 동작들 역시 인체라는 프로그램을 작동시키기 위해 구동되는 항중력근에 의한 것이다. 목 근육, 척추 근육, 엉덩이 근육, 허벅지 뒷근육, 종아리 근육뿐 아니라 심지어 눈꺼풀까지도 항중력근에 포함되지만, 가장 중요한 항중력근은 위에 언급한 코어 근육들이다. 일반적으로 분류하기를 항중력근에 해당되는 근육들을 상체에서는 굴근(이두박근[6]처럼 접히는 근육들), 하체에서는 신전근(대퇴사두근처럼 펴지는 근육들)으로 이야기한다. 하지만 여러 안정근들은 어떤 동작을 만들어내느냐 혹은 어떤 상황에서 어떤 자세를 만들어 유지하느냐에 따라 굽히는 근육이라고 정의내리기도 펴는 근육이라고 정의내리기도 애매하다. 한 가지 확실한 것은 이런 근육군들이 직립 자세를 유지하기 위해 매우 중요하다는 것이다.

안정근이 약하면 통증과 부상에 취약하다. 특히 펴는 근육들이 약하면 움직이는 동작에 많은 제약이 생기고 그것을 보상 받기 위해 다른 부위의 보상작용이 심해지며 좋지 않은 동작 패턴을 만들어내어 통증과 부상으로 가는 원인이 된다. 여기에 또 하나의 변수가 있는데 바로 부족한 운동량이다. 부족한 운동량은 잘못된 자세 습관의 뿌리이기 때문에 우리 몸을 쓰던 대로 쓰는 곳만 사용하도록 만든다. 근육성 요통을 경험한 사람들이 매번 거의 같은 증상을 겪는 가장 큰 이유다. 쓰던 대로만 사용되는 근육의 패턴이 잘못된 것이라면 매번 같은 통증과 만나는 것은 어찌 보면 당연한 것이다.

수년 째 세계적으로 핫한 트랜드 순위에서 코어 트레이닝이 빠지지 않는 것은 코어의 불안정성과 바르지 않은 움직임 패턴이 세계적으로 만연한

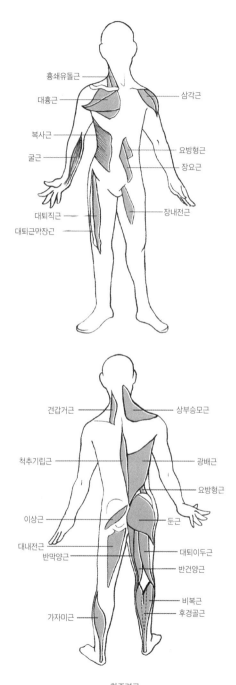

흉쇄유돌근

삼각근

대흉근

복사근

요방형근

굴근

장요근

대퇴직근

장내전근

대퇴근막장근

견갑거근

상부승모근

척추기립근

광배근

요방형근

이상근

둔근

대내전근

대퇴이두근

반막양근

반건양근

비복근

후경골근

가자미근

항중력근

현상이라는 뜻이다. 단순히 코어 근육을 단련하는 것에서 끝나는 것이 아니라 바른 복압을 유지하기 위해서는 호흡도 매우 중요하다. 우리 몸의 모든 근육은 움직일 수 있도록 설계되어 있고 수축과 이완을 통해 움직임을 만들어내도록 되어 있다. 근육의 수축과 이완을 조절하는 밸브 역할을 하는 것이 바로 호흡이다. 호흡에 근육이 반응한다는 것은 매우 단순한 원리이며 호흡을 마실 때 수축하고 내뱉을 때 이완되는 것은 일상생활뿐 아니라 특정한 스포츠나 운동을 할 때 하나의 테크닉으로 발전되기도 하는 부분이다. 실제 육상이나 수영 같은 종목에서 호흡은 경기 테크닉으로 중요하게 다뤄진다. 또한 호흡이라고 하는 것도 호흡을 하는 행위를 만들어내는 호흡근에 의해 생겨나는 일종의 운동이다. 불안정한 호흡이 근육의 불안정성을 유발하는 것은 어찌 보면 당연한 것이다. 호흡에서 "호" 불어냄이 "흡" 마시는 것보다 단어 앞에 오는 것처럼 내쉼의 단련이 우선이 되어야 한다 내쉼도 밀어내는 신전근의 패턴으로 보며 간단한 단련법은 풍선불기 같은 것이다 운동으로 몸을 단련하는 것은 어떤 것을 하던 전신과 연결된다. 언제부터인가 운동을 하지 않아 약한 몸 때문에 절대 무리하지 않는 강도 내에서 활동량만 유지하는 사람들이 많다. 아픈 것은 통증을 만들어내고 통증을 위험한 것이라고 생각하는 것은 앞뒤가 맞지 않는 오류다. 통증은 위험한 상태에 대한 우리 몸의 경고다. 현재 내 몸의 통증을 만들어내는 원인이 있고 그 원인이 생겨난 스토리가 존재할 것이다. 위험한 것은 그것, 스토리나 히스토리지 통증은 아무런 잘못이 없다. 아프지 않게 서 있기 위해서라도 아프지 않게 일상생활을 영위하기 위해서라도 우리는 운동을 해야만 한다. 움직이지 않고 즐길 수 있는 것들이 너무나 많은 세상이다. 그 쾌락을 탐닉한 대가는 병원에 가서 계산해야 한다. 움직이지 않는 몸은 안전한 것이 아니라 퇴화할 뿐이다.

디스크,
4번과 5번의 저주

허리 통증의 대명사. 국민 근골격계질환이라는 꼬리표를 달고 다니는 요통의 대표 주자. 바로 디스크다. 우리가 보통 허리가 뻐근하고 아프면 입버릇처럼 '디스크인가'라고 이야기할 만큼 디스크는 요통에 있어 대표적인 증상이다. 우리가 흔히 말하는 디스크는 실제 사용되는 용어의 줄임말이다. 병원에서 진료 기록지를 보면 보통 HNP L4,5 등의 방식으로 표기한 것을 확인할 수 있는데 Herniated는 탈출증, Nucleus Pulposus는 수핵(추간판), 즉 '추간판 탈출증' 또는 '수핵 탈출증'이라는 표현이 정확한 표현이다. 추간판(椎間板)은 척추를 이루고 있는 뼈와 뼈마디 사이사이에 존재하는 일종의 연골이다. 척추 원반 또는 척추 디스크Intervertebral Disc라고도 하며 관절과 관절의 사이에 위치해 구부리는 것이 가능하다. 중력에 대한 압력을 직립으로 받아낼 때 각 관절 사이사이에서 쿠션 같은 역할을 하는 구조물이다. 이것이 퇴행성 또는 갑작스런 외상으로 제 위치에서 바깥 방향으로 삐져나와 신경을 누르는 증상을 흔히 디스크 증상이라고 말하며 인간이 직립 이족 보행을 하면서 얻게 된 운명 같은 질환이다. 인간의 신체를 이루고 있는 근육이나 골격, 수분(혈액) 등에 작용하는 중력은 생각보다 상당한데 우리 몸의 관절은 이런 압력 속에서 관절을 움직여 움직임을 만들어낸다. 여기서 생기는 관절 간의 마찰은 상당히 강력해서 움직임을 만들어내는 관절에는 이런 마찰을 완화시켜주는 쿠션 패드들이 존재한다. 그중에서도 가장 많은 역할을 하는 것이 체중의 거의 대부분을 받아내고 있는 척추에 존재하는 추간판이다. 척추에 걸리는 압력은 아무것도 하지 않고 두 발로 서 있는 것만으로 100kg이 넘는다. 추간판의 충격 완화 시스템은 이런 압력을 뇌에서 인지조차 하지 못하게 완화시켜주는데 사실상 이런 시스템이 없다면 직립보행은 거의 불가능하다고 보아도 무방하다.

디스크의 증상은 디스크(추간판)가 탈출하는 방향에 따라 다르고, 개인에 따라 같은 증상이라도 느끼는 정도가 다르다. 디스크가 탈출하는 방향은 다양하지만 가장 흔한 탈출 방향은 오른쪽 후방, 왼쪽 후방이다. 뒤쪽의 정중앙으로 탈출하거나 심지어 전방으로 터지는 경우도 있지만 전방으로 터지는 경우는 꽹장히 희소한 경우이다. 디스크의 돌출 방향이 뒤쪽으로 나오는 이유는 척추 속에 있는 인대와 관련이 있는데 앞쪽에 위치한 전종인대가 뒤쪽에 위치한 후방에 비해 두 배 가까이 두껍고 넓으며 척추에 받는 압력의 방향이 전방보다 후방 쪽이 더 강한 경우가 많기 때문이다. 일반적으로 좌우측 뒤쪽에 생기는 디스크 증상은 허리 통증이나 보행 장애,

그리고 다리를 타고 내려오는 저릿한 방사통 등이 있으며 특별한 증상이 없다면 거의 대부분 비슷한 증상을 느낀다. 드물게 뒤쪽 정중앙에 디스크 증상이 생기는 경우가 있는데 옆에서 정중앙으로 증상의 위치가 바뀐 것만으로 위험성이 더 높아진다. 허리의 정중앙에는 많은 신경들이 지나가는데 이 모든 신경다발을 누를 수도 있다. 이 신경다발은 척추를 타고 인체 각 부위에 연결된 것들로 통증이나 방사통 정도의 증상보다 조금 더 심각한 증상을 유발한다. 가장 먼저 반응을 보이는 것은 배변 신경으로 배변과 관련된 신경들이 디스크 압박으로 제 기능을 하지 못해 배변에 어려움이 생기며 증상이 더 진행되고 치료하지 않고 방치하면 하반신 마비 같은 심각한 증상을 초래할 수도 있다.

기본적으로 우리 몸은 1기압의 닫혀 있는 공간이다. 다른 부위와 압력이 균일할 때 뭔가 흘러나와서 주변에 있으면 그 부위의 긴장과 압력이 높아지며 어떤 종류의 불균형을 만들어낸다. 불안정한 것에 대해 자연히 몸이 반응하고 특히 신경처럼 예민한 부분은 더 잘 느끼게 된다. 압박을 받는 부위가 예민한 부분인 신경이기 때문에 우리에게 디스크는 심각한 문제로 다가온다. 몸집이 큰 사람이 만원 지하철에 타는 상황을 생각해보자. 지하철 안에 사람들이 균등하게 거리를 유지하고 서 있으면 −1기압의 상태가 되는 것이고 몸집이 큰 사람이 타서 자리를 차지하면 그 좁아진 거리만큼 압력과 긴장을 받는다. 그리고 그 긴장은 고스란히 다른 사람들에게 전달된다. 그런데 이 긴장을 느끼는 기전이나 임계치가 사람마다 모두 다르다.

어떤 사람은 몹시 답답해할 수도 있고 어떤 사람은 크게 불편함을 못 느낄 수도 있다. 디스크로 인한 통증도 마찬가지다. 어떤 사람들은 디스크가 많이 흘러나와도 통증을 잘 못 느끼는 경우도 있고, 반대로 X-RAY나 MRI에 별 이상은 없는데 다리까지 내려오는 심한 통증에 꼼짝 못하는 경우도 많다.

왜 이렇게 다른 것일까? 여기서 다시 생각해볼 문제가 있다. 의사 선생님들은 수술하면 다 좋아진다고 하는데, 왜 수술하면 새롭게 재활을 시작해야 하는 것일까? 디스크가 나와서 신경을 눌러 아프다는 이론은 절반 정도만 정답이기 때문이다. 신경을 압박하는 디스크를 수술로 제거한 후에도 고통은 지속될 수 있다. 해부학적으로 또는 물리적으로 압력을 해소해도 긴장과 높아진 압력은 어느 정도 남아 있어 계속 통증을 유발할 수 있기 때문이다. 더구나 말초신경세포는 만성 통증에 3개월 이상 노출되면 통증 세포가 변성이 일어나서 통증의 원인이 제거되어도 스스로 통증 신호를 계속 보낸다. 극단적인 예로, 전쟁에 참전하거나 사고로 신체 일부를 잃은 분들이 없어진 신체 부위의 통증을 호소하는 사례도 있다. 이러한 원리로 인해, 수술 후에도 개인 차이가 많이 나는 것이 디스크 수술이다. 요즘 디스크의 추세가 재활과 운동으로 많이 가는 것 같아서 개인적으로 다행이라는 생각이다. 2000년 초반만 해도 디스크는 수술로 가는 것이 대부분이었다.

검진–MRI–디스크 판정–요추 4, 5번 레이저 수술–그 후 대략 일 년 정도 후 디스크 간격이 더 좁아짐. 요추 4, 5번 핀 고정 - 이후 급속도로 척추가 약해짐. 일 년 후 요추 3, 4번과 요추 5번, 천추 1번 핀 고정 - 다시 일 년 요추 전체 핀 고정. 여기서부터 인공 디스크 권유 받음.

이런 식으로 3, 4년에 걸쳐서 수술 후 입퇴원을 반복하는 사람들이 많다. 척추 혹은 몸 전체로 보았을 때 디스크는 불균형의 결과다. 이 부위의 간격을 살린다는 것은 강제로 벌려서 고정하기보다는 요추의 간격 안정화에 기여하는 근육들과 몸통과 엉덩이의 무게를 분산시켜주는 등 근육들이 제 기능을 할 수 있도록 만들어주는 것이 근본적인 해결책이다. 그렇기 때문에 이미 요추를 핀으로 고정했다면 고정한 핀에 가해지는 부담과 장력을 덜어주기 위해 더욱더 운동과 움직임에 신경 써야 한다. 골절이나 급성 디스크 파열로 다리가 움직이지 않는다면 오히려 결정하기가 편하다. 이런 경우는 수술 외에는 답이 없기 때문이다. 하지만 허리가 아파서 혹은 다리가 저려서 병원 갔는데 척추관 협착증(뇌에서 시작해 척추 전반에 걸쳐 다리까지 내려가는 신경의 통로를 '척추관'이라고 하는데 근력의 약화나 근골격계의 퇴행성 때문에 이곳의 간격이 좁아지는 것을 척추관 협착증이라고 한다) 또는 퇴행성 디스크 판정을 받고 수술을 권유 받았다면 고민을 해야 한다. 이런 경우에는 의사 선생님들이 결정해주지 않고 다만 권유할 뿐이며 약간 불합리하지만 비전문가인 본인이 결정을 해야 한다. 수술 자체가 좋다 나쁘다고 말하는 것보다 이러한 만성질환에 대한 수술은 병원이라는 회사의 수익 증대와 맞닿아 있는 경우가 있어서 결론과 장점을 핀셋으로 딱 집어내기가 애매하다.

그렇다면 디스크는 하고 많은 요추 중에 4번과 5번에 많이 생기는 걸까? 앞에서 이야기한 바와 같이 이것은 우리가 운동을 할 때 유독 복근을 만들기가 어려운 것과 관련이 있다. 일반적으로 몸의 근육들은 보통 뼈를 따라가면서, 뼈에 붙어서 힘을 내기 편하게 되어 있다. 그런데 복근 부위는 가운데가 비어 있다. 복근은 팔다리 근육과 다르게 지지해주는 뼈가 없다. 복근 아래 복부, 내장 기관들이 있고 그 뒤로는 요추가 있다. 이것은 복근이라는 근육을 중심으로 바라본 몸통의 구조를 말하는데 복근 운동을 해도 팔다리에 비해서 근육의 발달이 느린 이유는 바로 이 때문이다. 복근은 팔다리처럼 뼈에 붙어 있는 것이 아니라 요추를 중심으로 내장 기관을 감싸고 있는 구조다. 가상의 뼈가 하나 더 있었다면 요추의 안정성은 더 좋을지도 모르지만 안정성과 가동성은 반비례한다. 아마도 몸통의 가동성은 폐쇄적으로 달라졌을 것이다. 만약 가상의 뼈가 존재한다면 골반의 움직임 역시 달라졌을 것이다. 어쨌든 상상 속의 그 뼈가 없어서 안정성이 떨어지게 되었고 가동성을 유지한 상태에서 최대한 안정성을 확보하기 위해 근육에 의해 겹겹이 싸여 있는 구조로 발전하게 되었다. 그러나 역시 골격이 존재하는 부위보다는 안정성이 떨어진다. 이렇게 다른 요추보다는 요추 4, 5

번의 불안정성이 상대적으로 크고 그렇기 때문에 디스크 발생률이 높지 않을까 하는 의견을 제시해본다. 한마디로 높은 가동성 때문에 안정성이 상대적으로 약한 부위라는 뜻이며 비슷한 부위가 한군데 더 있는데 바로 경추(목뼈)다. 허리 디스크만큼이나 목 디스크는 흔하다. 경추의 구조 역시 높은 가동성과 약한 안정성이며, 그것을 보강하기 위해 요추 4, 5번처럼 근육들로 보강을 해놓은 구조라고 보면 된다. 자, 이쯤에서 문제의 답을 유추해볼 수 있는 사실이 하나 있다. 뼈와 같이 단단한 구조로 지지하는 부위가 아니라 근육이나 근막 같은 부드러운 조직으로 낮은 안정성을 보강해놓은 요추 4, 5번과 목뼈 같은 부위에 디스크가 '왜' 자주 생기는 것일까? 답은 간단하다. 불안정성을 대체하는 구조물인 근육이 약하거나 양이 적기 때문이다. 움직이지 않고 근육이 생기거나 단련되는 경우는 약물을 제외하고 자연계에서는 절대 일어날 수 없는 일이다. 다시 강조한다. 움직이지 않는 몸은 안전한 것이 아니라 퇴화할 뿐이다.

이렇듯 우리의 요통이 결국 신체 구조에서 오는 불안정성임을 알게 되었다. 구조적인 불안정성은 우리가 인류인 이상 어찌할 수 없는 문제이기 때문에 현재 해야 할 일을 하는 것이 현명한 선택이 아닐까. 척추의 안정성을 높이기 위한 선택은 근육의 기능적 안정성을 높이는 것이다. 개개인마다 차이가 있지만 '복부의 근육은 고 반복에서 잘 훈련된다' 혹은 '저 반복 고 강도에서 더 좋다', '인터벌처럼 유산소를 강도 있게 해야 복부 근육이 더 발달된다' 등 여러 주장이 있다. 그만큼 코어 운동의 종류가 다양해졌고 플랭크 같은 운동들이 코어에 좋은 운동이란 정도의 정보는 일반적인 수준이 되었다. 그중 일차로 복압의 안정성을 위해서 추천하는 운동은 바로 복횡근 조이기Ab Vacuum이다. 복횡근은 복부를 횡으로 코르셋처럼 둘러싸고 있는 근육이며 복부 제일 안쪽에서 허리 뒤로는 근막으로 연결되어 있는 근육이다. 인터넷 검색창에 'Ab Vacuum'으로 검색하면 많은 사진을 볼 수 있는데 우리의 생각보다 상당히 많이 조일 수 있다. 재미있는 것은 이 복횡근 조이기가 응용되어 보디빌딩 규정 포즈도 만들어진다는 것이다.

복횡근 조이기는 호흡을 통해 근육을 단련하고 안정성을 높일 수 있는 기본적이지만 좋은 운동이다. 이 운동 혹은 동작이 잘된다면 플랭크 운동과 연결시켜도 좋다. 플랭크와 사이드 플랭크를 할 때 이 동작을 같이 연습하면 아주 좋은 코어 안정성 운동의 조합이 된다. 여기에 동적인 코어 운동을 추가한다면 군필자라면 누구나 알고 있는 PT 8번 온몸 비틀기를 추가하자. 매일 적당한 강도로 한다면 생활 속에서 요통을 만나게 될 확률이 서울 남산에서 야생 시베리아 호랑이 만나게 될 확률만큼 떨어질 것이다.

요통 잡는 호랑이 PT 8번 온몸 비틀기

1 _____ 누워서 목과 다리를 허리에 무리가 안 가는 정도 들어 올린다.

2 _____ 다리와 얼굴을 반대 방향으로 트위스트한다. 머리도 다리도 바닥에 닿지 않는다.

3 _____ 동작이 힘든 사람은 머리를 지면에 내려놓고 하면 난이도가 낮아진다.

※ PT 8번 운동 시 통증이 느껴지는 사람은 휴식을 취하거나 다음 운동인 누워서 하는 복횡근 조이기 운동을 한다.

누워서 하는 복횡근 조이기 운동

1 _____ 누워서 무릎을 구부려 세운다.

2 _____ 손을 허리 곡선에 받친다.

3 _____ 숨을 마시면서 복부를 부풀린다.

4 _____ 허리 곡선은 유지하고 받친 손을 누르지는 않으면서 배꼽을 바닥 쪽으로 조인다.

복횡근 조이기

온몸 비틀기

산만해야
살 만하다

　　최고의 의료와 식생활을 누렸던 조선 왕들의 평균수명은 몇 살이었을까? 자료에 따르면 평균 47세였다고 한다. 요새 기준으로 보면 관리만 잘하면 펄펄 뛸 나이인데 최고의 서비스를 받으며 살았던 조선의 왕들은 왜 이렇게 단명했을까? 현대 의학 관점으로 보면 과다한 영양 섭취에 반해 절대적으로 부족한 운동량, 그리고 과도한 업무 스트레스를 그 원인으로 보고 있다. 환갑을 치른 왕은 태조(74세), 정종(63세), 광해군(67세), 숙종(60세), 영조(83세), 고종(68세) 등 여섯 명뿐이다. 그렇다면 조선 시대 왕들의 직업병 1순위는 무엇일까? 공식적으로 순조, 중종, 문종, 성종, 효종, 정조 총 여섯 명의 왕이 이 질환으로 사망하였다. 그 질환은 바로 등창이다. 등창은 종기다. 그리고 이 중 문종과 정조, 두 명의 임금은 욕창으로 사망했다. 우리 몸의 어느 부위든 지속적인 또는 반복적인 압박이 뼈의 돌출부에 가해져서 혈액순환이 잘 안 되면 조직이 죽어 해당 부위에 염증이나 괴사가 생기며 이렇게 발생한 궤양을 욕창이라고 한다. 이러한 증상의 공통적인 원인이 압박인 탓에 보다 적절하게는 압박 궤양이라고 부른다. 등창과 욕창은 다른 양상이지만 어쨌건 이쯤 되면 왕의 직업병이라 해도 손색이 없는 질환이라 볼 수 있다.

보통 사람이 감기 몸살 걸려서 좀 누워 있다고 욕창이 생기진 않는다. 우리가 앉아 있거나 누워 있어도 몸의 피부가 혹은 근육, 근막이 중력에 저항하게 된다. 이것은 적당한 압력을 유지하며 체액이나 혈액이 몸을 잘 순환하도록 공간을 만들어준다. 공에 비유하자면 축구공이나 농구공처럼 탱탱하게 중력에 대해 저항하고 있는 상태인 것이다. 근골격계나 운동신경계에 이상이 있는 환자들은 일단 물 빠진 풍선처럼 피부나 근육이 늘어져서 침대에 누워 있기보다는 놓여 있다. 각자 이유가 있겠지만 결과적으로 중력에 저항하는 힘에 문제가 생기고 오랫동안 같은 모양으로 놓여 있게 되면 그 부분의 압박이 뼈의 돌출부에 가해져 혈액과 체액의 순환을 방해한다. 욕창은 그렇게 생긴다. 다소 극단적인 사례일 수도 있다. 너무나 움직이지 않는 상태를 '운동 부족' 정도로 인지하는 것이 보통이다. 운동이 가능한 보통 사람에게 욕창 같은 것이 생기지는 않지만, 극단적으로 움직이지 않을 때 우리 몸에서 일어나는 이상 반응 중 가장 먼저 나타나는 증상이 욕창이기 때문에 예를 들어보았다.

회사나 학교에서 오랫동안 앉아서 생활하는 현대인들에게는 오히려 의자와 의복 사이에 생기는 습기 때문에 생기는 습진 정도가 흔한 질환이 될 것이다. 조금 부끄러운 이야기지만 꽤 오래 회사원 생활을 하며 책상 앞에서 일을 해본 경험이 있는 필자도 사타구니에 습진이 생겨 피부과를 들락거렸던 과거가 있다. 습진이 생기지 않도록 너무 오랫동안 의자에 앉아 있지 않고 자주 바지 속을 환기시켜야 되는데 특히 여름철에는 조금만 모니터를 보며 집중해도 몸에서 열이 오르기 때문에 보통 곤혹스러운 일이 아니다. 비슷한 문제로 곤혹스러워했던 동료에게 너무 오랫동안 의자에 앉아 있으면 좋지 않으니 정기적으로 나가서 바람을 쐬고 오자고 했더니 바람을 쐬며 담배를 피우는 것이었다. 습진 아니면 담배 연기의 선택지 앞에서 몹시 힘들었던 기억이 있다. 당시 몸에 대해서 잘 몰랐던 탓인지 습진 정도가 괴로운 기억으로 남았지만 사실 진짜 감당해야 할 통증은 따로 있었다. 바로 화석화라고 표현해도 될 만큼 좋지 않은 방향으로 굳어지는 몸이었다.

몸이 굳는다는 표현을 쓸 때 굳는 부위가 어디냐는 질문에 대한 답은 아마 근막이 될 것이다. 여러 매체나 책을 통해 이제 근막이라는 단어는 생소하지 않으며 SMR(자가근막이완)을 할 수 있는 폼 롤러 같은 도구들은 이제 쉽게 구매할 수 있다. 근육은 섬유다발처럼 되어 있고 실제 우리가 알고 있는 근육의 모양과 형태를 유지할 수 있게 해주는 것이 근막이다. 근육이 뭉치고 뻐근하다는 느낌도 실제 근육보다는 근막에서 느낀다고 해도 틀린 말은 아닐 것이다. 한 가지 자세를 오래 유지하면 근막이 굳기 시작한다. 근질이나 유전적인 요인. 얼마나 훈련된 사람이냐에 따라 개인차가 있지만 최소 20분 정도 같은 자세를 유지하면 근막은 유착하고 긴장하기 시작한다.

의자 없이 기마 자세로 있다면 '등척성 운동(근육과 관절의 길이가 변하지 않고 힘을 내며 버티는 운동)'으로 하체 운동이 되겠지만 의자에 기대서 앉으면 근육은 풀어지고 뼈는 의자에 기대는 방향으로 제자리를 이탈하게 된다.

　둘 다 자세의 변화는 없지만 효과는 천지차이다. 20분 정도가 근막이 굳고 엉겨 붙는 현상이 생기는 미니멀한 평균 시간이라면 20분마다 자세를 바꾸는 것이 좋다. 이것은 일이나 공부를 하다가 20분마다 산책을 하거나 스트레칭을 하라는 정도가 아닌 정말 자세 정도만 바꿔주면 된다는 최소한에 대한 이야기다. 바른 자세에 대한 정의도 개선되어야 할 부분이 있다. 보통 '자세가 바르면'이라는 말은 꼿꼿하게 몸을 편 자세를 연상하기 쉽지만 중요한 것은 중력에 대한 우리 몸의 어떤 자세이며 이것은 정지된 것일 수도 있고 움직이는 중일 수도 있다. 제대로 기능하는 몸의 고유 수용성 감각은 누구나 스스로 바른 자세를 알아차릴 수 있도록 적절한 위치를 피드백해준다. 이런 본능으로 만들어진 자세는 문화적으로 정립되어 계승되기도 한다. 그러나 자세와 움직임은 문화적인 측면보다 본연의 원초적인 움직임이 충분해야 하고 우선이다. 인간다운 자세인 직립보행과 달리기도 제대로 하지 못한다면 그 이상의 것들은 아무 소용이 없기 때문이다. 유아기 때부터 이런 것들이 발달할 시간을 주고 익혀야 하는데 현대사회는 너무나 공부하기에만 바쁘다. 분명 아이들의 척추 측만과 퇴행성 관절은 자연스러운 현상이 아니다. 현대사회는 오랜 시간 동안 움직이지 않고 해야 할 일들이 너무나 많지만 순환이 정체되기 전에 스스로 근육과 몸의 위치를 자각해서 이런 순환들을 촉진시키면 자세가 망가지는 것이 훨씬 줄어들 것이다. 뭉쳐서 통증을 유발하는 연부 조직인 근막의 체액과 면역 기능과 직접 관련 있는 신체 조직에서 분비되는 체액인 임파액은 근섬유의 신축에 의해 더 많이 순환된다고 한다.

자세를 바꾸는데 가장 간단하고 좋은 방법은 한 번 자리에서 일어나는 것이다. 일어서서 먼 곳을 바라보며 시각의 스트레스를 풀어주고 일어서며 체중을 발바닥 전체에 실으면서 발을 자극하면 그 자체가 여러 가지 운동 신경 통로를 활성화시킨다. 기지개는 스트레칭이면서 등척성으로 우리 몸의 펴는 근육을 자극시키는 좋은 체조다. 그렇기 때문에 20~30분에 한 번씩 기지개를 해주는 것을 추천한다. 물론 20~30분에 한 번씩 일어서 걷는 것 이상의 활동을 권하고 싶다. 그러나 몸은 살 만해질지 모르지만 회사나 주변 사람들에게 산만한 사람으로 인식될 수도 있으니 선택은 독자의 몫으로 남겨두겠다.

등척성 운동

　　기본적인 등척성 운동은 스스로 저항을 주면서 버티는 방법이다. 많은 재활 콘셉트의 토대나 기초가 되는 운동법이지만 의외로 간단한 운동법인 것에 비해 일상생활에서는 자주 하지 않는 운동법이기도 하다. 옛날 스트롱맨들의 운동법 중 등척성 운동 비중이 현대보다 더 많으며 중국 무술의 경기공(격파나 창, 검 등을 이용한 일종의 차력술)이나 요가 같은 분야에도 등척성 운동이 녹아 있는 부분이 많다. 등척성 운동은 제자리에서 신체를 부위별로 힘써서 단련, 교정할 수 있는 방법들이 많으며 단순히 근섬유의 길이 변화가 없는 수축뿐만이 아니라 가동 범위나 힘주는 범위와 힘의 양에 따라서 연부 조직이나 인대와 건도 유연하게 이완 혹은 탄성을 살려주는 운동법이다. 유명한 것은 근에너지기법으로 잘 알려진 '머슬 에너지 테크닉Muscle Energy Technique'이 있다.

　　머슬 에너지 테크닉은 틀어진 골격, 굳어진 근육과 뼈를 교정하여 인체 내부의 치유력을 극대화시켜 스스로 병을 고치게 한다는 개념의 정골 요법에서 파생된 교정 테크닉의 일종이다. 머슬 에너지 테크닉MET 기법은 환자의 아픈 관절 주위 및 제한된 근육들에서 통증을 유발하는 움직임을 최소화시킨 다음 환자에게 그 기법을 적용할 신체 부위를 아픈 방향에서 상대적으로 관절이 통증 없이 수월하고 자유롭다고 판단되는 방향으로 버티는 힘을 쓰라고 지시하고 버티는 반대쪽으로 시술자가 저항하는 힘을 짧게는 3~5초간 길게는 10초 동안 유지하면서 등척성 운동을 시킨다. 최대한 버틸 수 있는 힘의 $1/5$이나 $1/4$로 운동을 시키며 전체 과정을 3~5세트 반복한다. 예를 들어 무릎이 좋지 않은 환자가 무릎의 굽히는 동작과 펴는 동작 중 앞으로 차는 펴는 힘이 더 움직이기 쉽다면 그 방향으로 등척성 운동을 시키는데 무릎을 펴려고 힘을 쓰지만 치료사가 다리의 차는 방향의 힘을 막아서 움직임이 일어나지 않게 한다. 무릎이 다 펴지는 동작은 일어나지 않지만 펴는 방향으로 에너지를 쓰게 만드는 것이다. 이러한 등척성 저항을 이용하여 불편한 부위가 낼 수 있는 최대 힘의 절반 이하인 30% 혹은 25%로 운동을 시켜주면 감각과 운동 관련된 모터 센서는 활성화가 되는 반면 인대나 힘줄, 근막은 잘 이완이 되는 장점이 있으며 보통의 스트레칭보다 더 효과적이다.

주변에서 쉽게 접할 수 있는 넓은 의미의 등척성 운동은 요가가 있으며 스포츠 중 유일하게 포즈를 잡는 '포징'으로 경기를 하는 보디빌딩 경기 방식이 등척성 운동에 가깝다. 운동을 열심히 해서 근육이 갈라져도 포징 시에 부위별로 힘을 줄 수 있어야 근육의 모양이 더 어필될 수 있다. 실제 보디빌더들은 이 포징 훈련이 매우 힘들다고 말한다. 대회에 나와 어필해야 하는 특정 근육을 포징으로 힘을 주고 일정 시간 이상 버티는 것은 해당 근육에 대한 극도로 세밀한 인지능력을 필요로 하며 단순하게 힘만 주고 버티는 것과는 다른 차원의 문제다. 보통 깁스하고 누워 있는 경우 팔이나 다리가 한쪽이 고정되어 있으며 운동성이 줄어드는데 이때 문제 있는 부위의 치료가 모두 끝나면 재활 초기에는 관절의 움직임을 유도하는 것보다 깁스 부위의 해당 근육에 힘을 주는 연습부터 하게 된다. 등척성 운동의 개념으로 이 정도 강도의 운동이 최소한이라면 단순하게 힘을 주는 것을 넘어 호흡과 균형이 일치해야 완성할 수 있는 요가의 어려운 자세 혹은 단련된 특정 근육을 폭발적으로 어필할 수 있는 보디빌딩의 포징은 같은 등척성 운동이라도 고급의 영역에 해당된다고 할 수 있다. 등척성 운동은 근육의 길이가 변하지 않기 때문에 좋은 호흡(가늘고 길고 깊게 이어지는 호흡 패턴)을 익히기에도 좋고 중력에 대한 자세를 인지하고 좋은 포지션을 찾는데 매우 도움이 된다. 교정이라는 것은 단기간의 변화가 아닌 시간을 갖고 틀어진 몸을 바른 방향으로 만들어내는 것을 의미한다. 움직이지 않고 교정을 하는 방법에서 다루게 될 모든 운동들이 등척성 운동이라고 말할 수 없지만 기본적인 것을 알고 접근한다면 훨씬 이해가 빠를 것이다.

고요 속의 외침

　　　　　　신이 우리에게 준 최고의 선물은 망각이라는 말이 있다. 아픈 기억이나 상처는 시간이 지나 잊히는 것이 좋다. 그러나 잊으면 절대 안 되는 것도 있다. 바로 '움직임'이다. 철학적으로 종교적으로 인간이라는 존재를 규명하기 위한 성찰의 역사는 계속되어 왔다. 다양한 고찰이 생겼지만 생명체로서 인간의 존재를 규명한다면 답은 하나다. 인간도 지구 상에 서식하는 수많은 생명체 중 한 종(種)이고 동물이다. 움직이는 생명체로서의 정체성을 인간도 가지고 있는 것이다. 21세기 서구화된 한국 사회에서 살아가는 인간이라는 종(種)을 들여다보면 초중고 교육 과정과 대입 수능, 졸업 후 취업을 위해서 하루 여덟 시간 이상 공부해야 하는 학생들과 OECD 최장 노동 시간을 자랑하는 직장인들이 보인다. 몸의 발전성과 생명력을 머리와 지식 노동으로 등가교환하는 듯하다. 초등학생도 퇴행성 디스크가 종종 발견되곤 한다. 퇴행성 디스크의 주된 원인은 '정상적인 노화 과정 또는 반복적인 외상'이다. 초등학생이라는 나이에는 어울리지 않는 원인이다. 병원 진단이나 소견에서는 어려도 오래 앉아 있으면 그럴 수 있다고 하지만, 분명 이상하고 잘못된 것이다. 그래도 현대사회라면 편리함과 더불어서 몸의 건강을 유지하는데 필요한 최소한의 움직임 기준을 제시할 수 있는 통계가 있을 것 같지만 시도만 있고 결과는 없다. 미국에서 시도되었던 대규모 조사에서도 결국 개개인의 역치 때문인지 무의미한 결과가 나왔다. 〈뉴욕타임즈New York Times〉 건강 관련 칼럼니스트 그레첸 레이놀즈Gretchen Reynolds는 그녀의 저서 〈1일 20분 똑똑한 운동〉에서 다음과 같이 말한다.

> 신체 활동이 전혀 없는 사람은 건강 관련 삶의 질이 낮아질 가능성이 항상 높고, 매일 (일주일 중 7일 모두) 활동하는 사람은 낮아질 가능성이 대체로 높은 편이며, 짧은 시간(하루에 20분 미만) 활동하는 사람은 거의 항상 낮아지며, 매우 긴 시간(하루에 90분 이상) 활동하는 사람은 50% 이상의 빈도로 낮아질 가능성이 있다.

당연한 이야기다. 한 공간 안에 100명이 모여 있다면 그들은 모두 다른 조건을 가진 사람들일 것이다. 그들에게 있어 움직임과 운동에 대한 하루치 권장량은 모두 다를 것이다. 그러나 인간에게는 복잡한 문제를 간단하게 이해하고 편리하게 응용하고자 하는 욕망이 있다. 인간에게 필요한 운동량에 대한 통계란 편리함과 간편함에 대한 욕망과 이율배반이 깔려 있다. 평균치의 권장량 속에서 너도나도 안부낙도(안빈낙도가 아니라 안부낙도다)하고 싶은 욕망 말이다. 매체는 그것들을 교묘하게 포장하여 상품을 만들어낸다. 결국 우리는 그것을 소비하기 위해 시간을 할애하고 그 시간 동안 정지한다. 이런저런 이유로 우리는 또 다시 움직이지 않는다. 매체에서도 그렇고 심지어 나라에서도 걷기가 좋다고 하는 것은 누구에게나 권장하고 홍보하기 좋은 이유가 크다. 운동은 개개인 역치에 맞춰서 하면 좋고 활동량은 많을수록 의미가 있다는 것이 요즘 추세다. 열심히 운동해서 애슬릿Athlete 같은 운동 능력을 보유한다면 좋겠지만 현실적으로 불가능한 일이다. 그렇다면 크로스핏Crossfit의 열 가지 운동 수행 능력까지는 아니더라도 일반인들이 기본적으로 확보해야 좋은 운동 능력에는 어떤 것이 있는지 이야기해보자.

1 ___ 가동 범위

가동 범위는 확보할 수록 좋다. 가동 범위는 나이가 들수록 점점 더 없어지는 기본 운동 능력이다. 제한된 가동 범위 때문에 나타나는 대표적인 것이 '오십견'인데 이런 가동 범위는 중년에 즐겨하는 운동들(걷기, 조깅, 게이트볼 등)을 열심히 했다고 생성되거나 유지되지 않는다. 가동 범위를 확보하기 위해 꾸준히 유연성 운동을 해주면 여러 원인에 의해 생기는 통증을 예방하는데 도움이 되고 다리를 일자로 벌려도 스스로 하지 못하면 그것은 올바른 가동 범위 확보라고 볼 수 없다. 스스로 제어가 가능한 가동 범위가 중요하다. 일상에서 흔하지만 가장 좋은 가동 범위 확보는 기지개 형태의

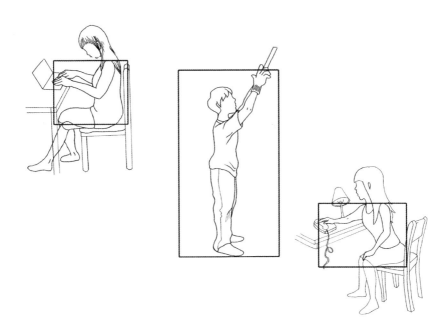

몸통을 중심으로 1미터를 벗어나지 못하는 우리의 가동 범위

스트레칭이다. 신체의 펴는 근육들을 활성화시켜주면서 등척성 운동을 할 수 있는 형태다.

2 ___ 근력

근력은 많을수록 좋다. 나이가 들수록 자연적으로 줄어들기도 하고 활동 지수 이하로 운동량이 떨어지면 평균 일 년에 5% 이상 줄어들기 때문이다. 다다익선이라는 말은 이럴 때 써도 좋다. 무슨 이야기를 하건 근육은 많을수록 좋고 근력은 모든 운동 능력의 줄기이기 때문에 무조건 많을수록 좋다. 웨이트 트레이닝이나 맨몸 운동도 좋지만 근력이 평균 이하인 사람들은 버티는 형태의 운동부터 시작해서 서서히 근력을 늘려나가는 것이 좋다.

3 ___ 심폐지구력

고등학교 체력장, 남자들은 군대에서 '뺑뺑이' 돌 때 말고 따로 관리하거나 마라톤 같은 스포츠에 관심이 없다면 꾸준히 줄어드는 기본 운동 능력이다. 움직이지 않고 술, 담배를 지속적으로 해준다면 그야말로 기하급수적으로 떨어지는 운동 능력이다. 호흡이 헉헉대는 운동을 해야 하기 때문에 걷기도 도움은 되지만 인터벌 달리기처럼 체계적인 전력 질주가 다치지 않는 범위 안에서 중요하고 좋다.

4 ____ 에너지 확보

활력은 단순히 위의 가동 범위, 근력, 심폐지구력을 단련해도 많이 늘어 난다는 느낌이 들지 않을 수도 있다. 호흡과 동작을 일치시켜서 몸의 균형을 찾고 스트레스를 내보내고 심신의 에너지를 올리고 다듬는 운동이 필요하다. 대표적으로 요가, 필라테스 등이 있고 108배 절 운동도 매우 좋다.

종류별로 나누었지만 사실 몸을 움직인다는 면에서 저런 운동 능력들을 따로 구분해낸다는 것은 어려운 일이다. 가장 좋은 것은 스포츠를 하는 것이다. 스포츠의 영역으로 들어오면 앞서 열거한 최소한의 운동 능력뿐 아니라 훨씬 더 많은 운동 능력을 필요로 하기 때문이다. 우리 신체는 어느 곳 하나도 움직이지 않는 곳이 없다. 뇌는 움직임을 위해 신경 전달 물질을 만들고 신경을 통해 근육에 명령을 내리며 근육은 움직이고 새로운 근육을 만들어내고 이런 움직임은 다시 뇌세포를 만들어내는 순환을 반복한다. 움직이지 않는다는 것은 사고를 굳게 만들고 행복 지수를 떨어뜨린다. 일단 움직이자. 인간은 움직이는 동물이고 움직여야 행복해지는 동물이다.

PART 4

비욘드 더
페인

마음과 몸

스트레스는 캐나다의 내분비학자 한스 셀리에Hans Selye가 처음으로 명명했다. 이상한 일이다. 스트레스라는 것은 매우 심리적인 문제인데 어째서 호르몬을 연구하는 내분비학자에 의해 명명된 것일까? 우리는 앞으로 대(對)스트레스 호르몬과 만나게 될 것이다. 스트레스를 포함한 외부의 자극에 교감신경이 반응하며 분비되는 호르몬들은 혈중 내로 분비되어 우리 몸을 보호하려고 하며 위험에 대처해 싸우거나 그 상황을 피할 수 있는 힘과 에너지를 제공한다. 그러나 이런 호르몬에 자주 노출된다는 것은 스트레스를 받는 빈도가 높다는 것을 의미하고 이런 스트레스 저항 호르몬에 자주 노출되면 건강에 좋지 않은 영향을 미친다. 심리적인 것이 신체에 미치는 영향은 우리의 생각보다 매우 크다. 심리학에서 만악(萬惡)의 근원으로 보고 있는 스트레스를 내분비학자가 명명한 것은 시사하는 바가 크다. 큰일이 아니더라도 우리는 마음이 아플 수 있다. 한의학이나 대체의학적 관점이 아니더라도 기분이나 감정 때문에 몸이 아프거나 속이 상하는 경우는 아주 흔한 일이다. 인간이라는 존재가 약한 것일까 아니면 복잡한 관계에 의해 돌아가는 사회화의 결과일까? 우리는 스스로를 이성적인 존재라고 생각하곤 한다. 그러나 현대사회를 살아가는 우리는 누구나 감정적이고 혹은 감정적으로 행동할 준비가 되어 있다.

한 아주머니가 차를 끌고 허리 병원을 찾아왔다. 허리가 아파 시술을 생각하며 왔는데 차도 막히고 힘이 든다. 그런데 병원 주차장에 자리가 없다. 경비 아저씨를 만나 주차를 물어보니 불친절하고 듣는 둥 마는 둥 한다. 기다리다가 화가 나서 차를 돌려 다른 병원으로 가서 시술을 받는다. 그리고 처음 찾아간 병원의 인터넷 게시판에 욕으로 도배를 한다. 불과 십년 전만 해도 사람들은 잘하는 병원을 찾았다. 지금은 병원도 많고 명의도 예전보다 많아졌다. 예전과 달라진 것은 병원을 찾는 고객들이 이성적 판단보다는 감정적으로 병원을 선택하는 경우가 많아졌다는 것이다. 친절하거나 주차가 편해서가 이유다. 이처럼 현대사회에서의 선택은 다분히 감정적이다. 배가 고파서 먹는다기보다는 먹는 행위 자체가 좋아서 먹는 사람들이 늘어나는 것처럼 말이다. 감정 스트레스가 많은 대표적인 직군이 회사원이다. 노동이나 몸을 쓰는 일이 아니라 사람과 만나고 의견 조율이나 판단을 위해 마찰을 일으키는 직업들이 더 스트레스를 많이 받는다. 본래 스트레스라는 것은 우리 몸의 자기 보호 반응 중 하나다. 회피나 도피 혹은 그냥 자리에 있어도 될 것인지 판단해서 긴장하고 도망갈 준비를 하거나 자리를 지키는 판단에 따른 호르몬 반응이 모두 다르다. 스트레스는 바로 그런 것이다. 하지만 회사에서는 회피나 도피할 일도 신체에 위협을 가할 일도 존재하지 않는다. 오히려 오랜 시간 앉아 있는 것이 신체에 더 위협적이다. 문제는 감정적으로 스트레스를 받으면 몸이 아프거나 근육이 긴장하는 것이다. 스트레스도 받아들이기 따라서 유익할 수도 있다던데 회사에서는 그저 답답하고 몸만 굳어져 온다.

의식과 무의식, 잠재의식을 잘 구분하지 못해도 의식하지 못하는 사이에 몸에서 많은 것들이 일어난다는 것에는 이견이 없을 것이다. 호흡, 피부 감각, 몸의 위치 감각 등 무의식 수준에서 일어나는 일들은 사실 엄청나게 많다. 이런 무의식과 잠재의식에 우리는 생각을 덧붙이곤 한다. 현대사회는 생각과 정보가 넘쳐나는 곳이고 늘 무엇인가를 판단하고 생각하고 처리해야 한다. 그럼 이런 생각과 또 다른 생각들이 문제가 될까? 보통은 아니지만 너무 많다면 문제가 될 수도 있다. 물론 머리나 두뇌의 능력과 용량은 무궁무진하다고 해도 과언이 아니지만 우리 몸의 구조에는 한계가 있다. 컴퓨터에 비유를 하자면 중앙 연산 처리 장치와 하드디스크에서 계속 연산을 해내고 있지만 이에 따른 열이 발생하며 냉각이 잘 안 되고 누적되면 컴퓨터에 이상이 생기거나 다운되기도 하고 느려지기도 하는 것과 비슷하다. 그렇다면 우리의 몸은 어떨까? 머리가 발생하는 열을 분산시킬 만큼 혈액과 체액 움직임도 수분 공급도 원활한가?

이런 비유가 아니더라도 몸과 마음은 따로 생각할 수가 없는 생존의 문제다. 현대사회에서 몸은 법과 사회제도로 생존이 보장되어 있는 부분이 있지만 마음은 전혀 그렇지 않기 때문이다. 감정 스트레스와 상대적인 감정들은 이해하지만 공감하기는 힘든 것들이 많다. 이것은 타인들에 대한 존중에서 출발하는데 각자의 살아가는 방식이 있고 그 방식들을 존중한다는 것은 말로는 쉬워도 싶게 이해하고 받아들이는 것은 참으로 어려운 문제다. 몸과 재활을 공부하고 적용하기 위해 노력하다 보면 정신과 감정에 관한 문제는 깊게 생각하게 되는 경험으로 마주하게 된다. 그런 경험들이 쌓이면 당연한 이야기지만 몸과 마음은 이어져 있다는 생각이 깊게 다가온다. 농구 경기에서 패하고 분해서 손을 꼭 쥐고 쓰러져서 주먹을 못 펴던 농구선수, 교통사고 후 실수로 보험금을 받지 못해 그 스트레스로 어깨가 굳어져 만세 동작이 안 되던 아주머니, 정유 공장에서 불이 나서 몸에 불이 붙었는데 스스로 끄고 나오신 아저씨는 주변 동료들이 자신만 남겨두고 도망친 것에 대한 섭섭함이 통증의 원인이었다. 많은 사례는 아니지만 실제로 있었던 일들이다.

이렇듯 우리가 산다는 것은 육체의 대사 작용도 있지만 정신의 경험도 그에 못지않게 중요하다. 육체는 시간이 가면 노화되지만 적절한 운동과 단련은 노화가 아니라 강화를 시켜준다. 정신도 육체의 구조에 따라서 강해질 수도 약해질 수도 있다. 큰 부상이나 질환으로 병원에 입원하고 장기적으로 치료를 받는 경우에는 정신도 몹시 약해지는 경우를 종종 보게 된다. 이처럼 몸과 마음은 서로 주고받는 관계다. 단지 우리가 알아차리지 못할 뿐이다. 그럼 우리는 왜 몸과 마음의 신호를 알아차리지 못하는 것일까?

1940년대 초반 예일대 의대교수이자 과학자인 해롤드 섹스폰 버 박사는 모든 생명체는 머리부터 발끝까지 전자기 극성이 존재하며 좌우로 측면 극성이 존재한다는 것을 발견했다. 정상적인 양극이 바뀌면 생각과 감정, 그리고 행동에 방해를 일으킬 수 있으며 특정 암을 가지고 있는 환자 집단에서 약 80%가 극성이 뒤바뀐 사실을 발견했다. 이렇게 극성이 바뀌는 것에 의해 심리적인 영향을 받는 것을 심리적 역전이라고 하며 인체의 에너지 시스템 내에서 극성이 역전되는 현상이다. 이것은 무의식에 자리 잡은 좌절감이나 자격지심, 안정적 욕구, 부정적 감정 등에 의해 생기며 이것을 해결하지 못하면 몸(현실)과 마음이 서로 다른 방향을 향하게 되어 건강이나 자기 계발에 방해를 받는다.

부정적인 감정도 인간인 이상 정상이다. 인생을 살아가면서 겪는 모든 일들이 사랑과 기쁨이 충만할 수는 없기 때문이다. 우리의 머릿속 이성은 본인의 진심이나 믿음과는 반대로 생각을 많이 한다. 그래서 몸의 신호를 종종 알아차리지 못한다. 몸(현실)과 다른 자신의 셀프 이미지를 받아들인다는 것은 매우 어려운 일이고 훈련이 필요한 것이다. 당연히 행동하는데 심리적인 저항이 생긴다. 우리는 살다보면 많은 심리적 역전을 경험하게 되는데 사실 의식과 무의식의 합일된 행동이 늘 나오지는 않는 것이 정상이라고 할 만큼 어려운 일이다. 어떤 상황은 의식적인 것이 당연히 우위에 있어야 하지만 체중 감량을 위한 다이어트와 같은 셀프 이미지에서는 의식과 무의식의 합일된 이미지가 더 중요하다. 가장 좋은 것은 자신을 바라보는 셀프 이미지 자체가 손상되지 않고 건강한 모습일수록 좋은 것이다. 이것은 스스로 되고 싶은 이상형이 아닌 있는 그대로의 모습이고 눈을 감으면 자연스럽게 떠오르는 자기 자신의 모습이다. 그런데 이 셀프 이미지도 바꾸기 위해 노력하면 바꿀수 있으며 가장 손쉬운 방법은 운동을 하는 것이다. 역전을 인지하고 있는 그대로의 셀프 이미지를 받아들임이 감정을 정리하고 발전시켜서 긍정적으로 사용하는데 도움이 된다. 감정도 에너지이기 때문이다.

감정 스트레스

트라우마, 콤플렉스, 강박과 같은 감정 스트레스는 그 정도가 다를 뿐 누구나 가지고 있는 것이 정상이다. 우리는 누구나 감정적 결함이나 부정적인 기억을 갖고 있지만 그것을 어떻게 받아들이고 수용할지는 매우 학문적인 영역일 것이다. 부정적인 색을 갖고 있는 다양한 감정 스트레스의 원인은 너무나 다양하고 그것을 연구·분석하고 해결하기 위한 모든 시도는 정신의학의 영역이기 때문에 지금부터 이야기하는 것은 그저 부정적인 기억의 연결 고리를 자르고 끊어내는 개념에 대한 이야기일 것이다. 자르고 끊어낸다는 개념은 우리가 갖고 있는 기억이라는 실체가 어떤 메모리로 통째로 저장된다고 생각하지만 사실은 여러 감정의 조합이라는 개념에서 출발한다. 좋건 나쁘건 감정적인 경험들이 카테고리를 만들어서 메모리화된다는 개념이며 대부분이 사진처럼 장면으로 기억되어서 스토리 보드처럼 저장된다는 개념이다.

우리가 살면서 경험한 것들도 이성보다는 감정적으로 판단하고 학습해서 저장한 후에 이것을 토대로 이성적이라고 생각하면서 사실은 감정적으로 판단을 내리게 된다. 그래서 가끔 인터넷 유머 게시판에 공대생들이 논리적으로 사고하는 방식이 재미있게 희화화되기도 한다. 감정적인 것들은 비이성적이라 생각하지만 막상 어떤 상황에 대해 판단을 해야 할 때 감정을 배제하면 희화화가 될 정도라면 우리가 얼마나 감정적인 존재인가에 대한 반증이 될 것이다. 이렇듯 우리의 사고 전반을 지배하고 있는 감정의 파편들이 쌓여 생기는 대체적으로 부정적인 기억들에 대해 놀랍게도 우리의 신체는 물리적인 반응을 보여준다. 닻내림 효과Anchoring Effect는 본래 경제 용어지만 행동 분석에서도 사용된다. 닻을 내린 배가 크게 움직이지 않듯 처음 접한 정보가 기준점이 돼 판단에 영향을 미치는 일종의 왜곡 현상이며, 사람들이 어떤 판단을 해야 할 때 초기에 접한 정보에 집착해 합리적인 판단을 내리지 못하는 현상을 일컫는다. 행동 분석에서는 감정적인 상황이나 기분에 따라 특정 동작을 반복하는 것으로 나타나는데 스트레스 받으면 먹는 것으로 감정을 해소하는 행위도 일종의 닻내림 효과다. 이처럼 우리 몸에서도 감정을 나타내는 공통분모가 몇 군데가 있는데 눈동자, 얼굴 근육, 목의 위치, 어깨의 으쓱거림 등이며 이것들은 많은 보디랭귀지 중에서 감정을 무의식적으로 표현하는 것들이다. 이렇게 긴장된 무의식에 계속적으로 노출된 신체는 이전의 움직임을 잊어버린다. 이것을 감각 운동 기억 상실증SMA, Sensory Motor Amnesia이라고 하며 근육이 매우 긴장되어 이완시키지 못하는 상태를 말한다. 오랫동안 지속적인 스트레스가 누적되면서 그 결과 생기는 만성 근수축이다. 몸을 인지하고 작동하는 원리와 운동에는 알렉산더 테크닉 ,휄덴 크라이스트, 소마 운동 ,필라테스, 요가 등 여러 가지가 있다. 이런 운동들을 따라서 움직이면 감정적으로 해방이 될 때도 많다. 사실 너무나 활동량이 적은 시대를 살고 있는 탓에 저런 높은 단계의 테크닉 말고 가벼운 체조나 달리기 정도를 하는 것만으로도 우리는 후련한 느낌을 느낄 수 있고 부정적인 감정을 대하는 가장 효과적인 방법이기도 하다. 이처럼 구조적인 측면에서는 근막의 긴장이나 문제가 감정과 연관이 되지만 구체적으로 특정 감정에 어떤 근육이 긴장한다는 내용은 아직까지 밝혀진 바가 없다. 하지만 얼굴의 근육이나 목의 긴장이 감정의 키포인트라는 내용을 유추할 수 있는 연구들은 계속 진행되고 있다. 그중 얼굴 근육을 조절했을 때 감정이 변하는 실험은 많이 알려져 있으며 이미 오하이오주립대에서는 21개 얼굴 표정을 인식할 수 있는 안면 인식 알고리즘을 개발했다. 얼굴의 표정에 감정이 드러나는 것은 어찌 보면 당연한 것이다. 뒤집어 생각해보면 얼굴의 표정을 만들어내는 얼굴 근육이 감정 스트레스와 연관이 있고 이 근육들을 이완시켜주면서 병원 상담 치료까지 병행한다면 감정 스트레스를 완화하는데 매우 도움이 된다. 요가 명상 기법 중에서 얼굴의 근육 중 눈과 눈 사이인 미간(眉間)의 긴장을 풀거나 직접 손으로 눌러 살살 문지르는 것이 있는데 실제 근육을 이완함으로 마음의 긴장도 풀리는 효과를 보인다.

감정 스트레스와 관련된 질환들은 이미 오래전부터 있었고 병리학적으로 연구되고 있다. 스트레스의 정의를 교감신경이 고조되어 나타나는 현상으로 본다면 상기증(上氣證)은 스트레스, 화 등 몸의 기운이 아래에서 위로 치밀어 오르는 증상을 말하며 고혈압의 원인 중 하나며 뇌졸중을 유발하기도 한다. 화병(火病)은 한국에서 나타나는 정신 질환이며 미국정신의학회에서도 한국식 표기인 'Rage Virus(화병Hwa-Byung)'을 공식적인 표기로 사용하고 있다. 정식 병명이라기보다는 기타 장기적 정서 장애의 한 종류로 설명하지만 이것 역시 감정 스트레스가 유별하는 질환이라는 것이다. 화병과 상기증은 다르지만 감정과 관련된 증상이기 때문에 스트레스로 인해 손상되고 힘든 감정을 중화하는 것에 초점을 맞추어야 한다. 정신적, 감정적인 스트레스로 인해 기운이 역류하는 증상이기 때문에 병리학적인 접근이 중요하며 한의학이나 정신의학 치료를 병행하는 것이 우선이다. 감정을 중화하거나 해방시켜도 이미 몸에서 구체적인 증상을 보인다는 것은 역치를 넘어선 것이기 때문에 한의학적 치료와 정신의학적 치료가 반드시 필요하며 여기에 적당한 강도의 운동을 병행하면 더욱 좋다. 꼬리에 꼬리를 무는 인터넷 팝업창처럼 우리 머리의 여러 생각들이 몸에 각인된 상태로 이어져 계속해서 감정 관련 스트레스들을 만들어내기 때문에 몸을 적당하게 쓰는 운동을 병행하면 치료 효과를 높일 수 있다.

트라우마 콤플렉스

———— 트라우마의 기본은 감정적 상처다. 강력한 상처나 기억은 몸에 각인된다. 우리 삶은 감정의 기록이다. 남성들은 군대 생활을 떠올려보자. 매일 먹는 짬밥은 참 맛이 없는 메뉴다. 대체적인 메뉴의 구성은 거의 비슷하기 때문에 그저 맛없는 식사 정도로 기억되지만 매일매일 한 끼 한 끼 어떤 것을 먹었는지 기억할 수는 없다. 그러나 유독 곤혹스럽고 맛이 없었던 한 끼 식사의 고통이나 혹한기나 유격 훈련처럼 힘든 상황에서 먹었던 한 끼 식사의 기쁨이 있었을 것이다. 그것들은 군대 생활 중 추억이라는 미명으로 전역을 하고 나서도 기억하게 될 평생의 흉터 같은 것이다. 이처럼 우리의 메모리는 여러 감정들을 기억한다. 그러나 어디까지나 감정의 기억이기 때문에 왜곡되거나 편향되기 쉽다. 좋은 기억보다 좋지 않은 기억이 더 트라우마가 되는 것은 생존을 위한 일종의 학습 같은 것이다. 행복은 시간이 지나면 희미해지고 아련해지지만 트라우마는 그 내용이 크건 작건 대체로 기억이 확실하고 색깔까지 선명한 경우로 남는 것은 개념상 생존을 위

한 학습에 가깝기 때문이다.

군대 시절 이야기를 조금 더 해보도록 하겠다. 혹한기 훈련 당시 정말 춥고 배고프던 순간 반합에 끓여 먹었던 라면의 맛은 젓가락이 없어 나뭇가지를 부러뜨려 허겁지겁 먹었던 환경적인 열악함마저 추억으로 바꿔준다. 산속에서 불던 칼날 같은 바람도 꽁꽁 얼었던 손발도 따뜻하고 구수한 라면의 맛으로 힘들었지만 그리운 추억으로 바뀐다. 당시에 느꼈던 감정들과는 다른 색으로 변질되는 기억의 왜곡이 일어나게 된다. 감정과 연관된 스트레스에서 살펴볼 것은 이와 같은 감정의 학습이다. 감정은 문화, 사회, 연령별로 조금씩 다르다. 본인의 경험에 비추어 학습한 대로 감정을 판단하고 강렬한 나쁜 기억은 마음속에 각인이 되어서 트라우마로 작용하여 비슷한 상황이나 그것을 연상시키는 어떤 것을 대하면 피하거나 꺼리게 되는 것이다. 이런 반응은 고대에는 중요한 생존 학습이었지만 현대사회에서는 감정적인 위협이나 상처를 위급한 경우로 인식하고 학습하고 판단한다. 물론 교통사고나 범죄 피해처럼 당연히 트라우마가 생길 만한 일들도 있으며 이런 경우는 반드시 정신과 상담과 더불어 치료를 받는 것이 도움이 된다. 그러나 여기서 말하는 것은 일반적인 대인관계나 가족과의 관계 등 삶의 위협은 아니지만 감정 소모를 트라우마로 학습하게 되는 경우를 말한다. 보통 트라우마는 떠올리기도 힘든 강렬한 기억이며 기억의 흉터다. 교통사고가 크게 나서 죽을 뻔한 기억에 다시는 운전대에 손을 얹지 못하는 사람이나 물에 빠져 익사할 뻔하다 구사일생으로 구조되어 물에 대한 공포증이 생긴 사례들은 주변에서 얼마든지 찾아 볼 수 있다. 트라우마와 콤플렉스는 비슷한 듯 다르다. 트라우마의 다른 말은 외상 후 스트레스 장애다. 강렬한 기억으로 인해 남는 거대한 흉터이고 그 흉터는 건드릴 때마다 그때의 기억과 느낌이 떠올라 아프다. 콤플렉스는 무의식에 쌓이는 침전물 같다. 인간은 감정을 연료로 사고하는 동물이며 콤플렉스는 그로 인해 형성되어 무의식에 쌓이는 찌꺼기다. 여기에 간과할 수 있는 중요한 전제는 무의식은 어느 정도 부모로부터 물려받는다는 사실이다. 우리 무의식은 3분의 1은 물려받고 3분의 1은 0~5세 사이에 형성되며 나머지 3분의 1이 우리가 살면서 인지하고 학습하는 것이다. 0~5세 사이에 형성되는 무의식 역시 양육자인 부모의 영향을 절대적으로 받는다. 그러므로 약 3분의 2에 해당하는 무의식은 유전된다고 봐도 무방하다. 우리에게 유전되는 무의식은 그저 무의식만이 아니라 무의식을 이루도 있는 여러 감정들 역시 유전된다. 이 안에는 트라우마도 있을 수 있고 각기 다른 이유로 형성된 콤플렉스도 있다. 이러한 감정 스트레스의 결과물을 우리 의지와 관계없이 물려받게 되고 우리는 그것에 근거하여 다른 감정들을 학습하는데 이것을 극복하기 위한 방법을 찾아 치유하지 않는다면 자신의 내부로 화살을 돌리게 된다. 이때 생겨나는 감정이 자책감이다. 자책하는 감정은 매우 특이한 감정으로 자연계에는 존재하지 않는 매우 인위적인 감정이며 여러 가지 다른 부정적인 감정들을 파생시킨다. 수치심이나 죄책감도 여기서 파생된 감정이라 볼 수 있으며 자존감을 갉아먹는 바이러스 같은 감정이다. 자존감이 떨어지는 것은 최근 젊은이들의 사회문제로 대두될 정도로 심각한 문제다. "뻔뻔함은 가장 큰 덕목"이라는 러시아 속담이 있다. 자존감이 곧 뻔뻔함은 아니지만 삶의 당연한 명제를 생존이라고 보았을 때 생존을 위한 정신적인 뻔뻔함은 생각보다 중요하며 이것은 자존감 문제와 맞닿아 있다. 자존감은 스스로 만들어가는 것이며 스스로를 제일 귀하게 여기고 아끼는 것은 삶을 살아가는 주체인 나 자신을 대하는 좋은 자세다. 트라우마나 열등감을 성공의 원동력으로 만드는 사람들도 많다. 이것은 개인의 차이지만 키워드는 역시 자존감이며 트라우마와 컴플렉스를 극복하는 방향성이다. 결국 긍정적인 노력은 언젠가는 좋은 결과로 나타나며 단순히 괴롭고 힘들어서 도피하거나 가학적인 방법은 결국 스스로를 망가지게 만들 뿐이다.

애착과 집착

　　어떤 것은 발효하고 어떤 것은 부패된다. 우유가 발효되면 요구르트나 치즈가 되지만 상한 우유는 복통, 설사, 식중독을 일으킨다. 발효되는 과정과 부패되는 과정은 다르지 않다. 다만 발효가 되기 위해서 특정한 효소와 함께 부패시켜 발효를 유도해낸다는 것이고 부패는 아민과 황산수소 같은 물질이 생겨 악취가 나며 썩어간다는 것이다. 우리 마음속에도 마치 발효와 부패처럼 본질은 같지만 전혀 다르게 느껴지는 감정이 존재한다. 바로 애착과 집착이다. 애착은 밝고 긍정적인 느낌이 강한 반면, 집착은 부정적이고 어두운 느낌이 강하다. 하지만 이 둘은 쉽게 분리할 수 없다. 심리학에서도 집착은 사랑과 관심을 받지 못해 손상된 애착으로 본다. 결국 애착과 집착은 하나의 뿌리에서 시작된다. 생각해보면 착(着)은 삶의 관계 형성에서 없어서는 안 될 중요한 요소다. 어린 시절 아이가 부모나 보호자와 맺는 애착 관계 형성이 매우 중요한 것도 어린 시절 형성된 착의 형태가 성인이 된 후에도 이어지기 때문이다. 주변을 둘러보면 성인이 되어 사회생활 혹은 학교생활을 하면서 많은 사람들과의 관계에서 불안정한 사람들을 보게 되는데 이렇게 관계에 문제를 가진 사람들은 어린 시절 형성된 애착의 형태를 돌아봐야 한다. 감정과 관련된 문제는 무의식에 쌓이며 그것에서 파생된 문제로 고민하는 사람들은 자신의 무의식에 대해 알 수가 없다. 착의 감정도 트라우마나 콤플렉스처럼 무의식에 메모리된 채 유전된다. 이것은 부모가 과기 자신의 부모와 형성한 착이 유형이 지금 자녀와의 관계로 유전되는 것을 말하며 집착도 마찬가지다. 성인이라고 해도 대인관계에 있어 어려움을 격고 있다면 부모와의 애착 형태가 어떠했었는지가 문제의 키워드가 될 수도 있다. 가장 먼저 판단해볼 문제는 '나는 애착하고 있는가, 집착하고 있는가?'다.

이와 관련된 매우 유명한 사례가 하나 있다. 1843년 미국 버몬트 주에 있는 철도 회사에 소속된 피니어스 게이지라는 사람에게 끔찍한 사건이 발생했다. 철도 공사 도중 구멍에 폭발물을 넣고 철 막대기로 구멍의 표면을 고르게 하기 위한 작업을 하던 중 실수로 주변 바위를 쳐 다이너마이트가 폭발하였고 그 폭발의 충격으로 철 막대기가 게이지의 왼쪽 뺨에서 오른쪽 머리 윗부분으로 뚫고 지나가버린 것이다. 그 결과, 그는 두개골의 상당 부분과 왼쪽 대뇌 전두엽 부분이 손상되는 심각한 상처를 입게 되었는데, 모두가 곧 죽을 것이라는 예상과는 달리 그는 머리에 약 9cm 정도의 구멍이 뚫린 채 12년을 더 살고 사망했다. 흥미로운 점은 그의 행동과 성격이 사고 이후 변해버렸다는 것인데 성실하고 양심적이며 열심히 일했던 게이지는 사고 후 다른 사람처럼 변해버렸다. 안절부절못하고 무책임하며 결단력 없고 상스러운 욕을 입에 달고 사는 사람으로 변한 것이다. 이 사실을 주의 깊게 보던 게이지의 주치의 닥터 할로우는 게이지의 가족과 몇 년 동안 함께 지내며 게이지의 행동들을 관찰한 후 'Recovery from the Passage of an Iron Bar Through the Head'라는 글을 발표하였는데 대뇌 전두엽 손상이 성격과 행동에 큰 변화를 준다는 내용이었다. 이 글은 뇌의 특정 부위 손상이 성격과 행동에 영향을 준다는 것을 처음으로 보여준 학술적인 사례가 되었다. 이처럼 감정과 관련된 것들은 물리적인 뇌손상에 영향을 받을 수 있으며 반대로 감정의 불균형 역시 뇌 발달에 영향을 미칠 수 있다. 좌뇌와 우뇌가 고르게 발달한 사람들은 뇌의 각 요소들이 긴밀하고 원활하게 작동하기 때문에 정서와 이성을 균형 있게 안정시켜 잘 통제할 수 있다. 하지만 비정상적인 집착이 고착화된 사람들은 좌우 뇌가 균형을 이루지 못한다.

균형은 신체에만 필요한 것이 아니다. 좌뇌와 우뇌의 역할이 다른 만큼 좌우의 균형은 신체적인 균형만큼이나 중요하며 이 균형이 깨지면 감정적으로 이상한 사람 취급을 당할 수 있다. 극단적으로 좌뇌에 의존성이 큰 타입을 '회피성 애착형'이라고 하는데 이런 경우 감정적인 부분이 잘 발달되지 못하고 모든 관계와 현상을 지나치게 이성적으로 바라보는 성향을 가진다. 우정이나 사랑 같은 인간적인 관계에 대해 의심하기 때문에 주변에서 대인관계에 소극적이거나 문제가 있는 사람들이 있다면 이런 타입일 수도 있다. 반대로 우뇌에 의존성이 큰 타입을 '양가감정 애착형'이라고 하는데 이 경우는 특정 대상에게 애정과 증오, 독립과 의존, 존경과 경멸 등 양가적 감정 모두 느끼게 된다. 이런 타입은 지나치게 감정적이고 불안정한 심리 상태와 행동을 보이며 다소 폭력적인 성향도 있기 때문에 감정 기복이 심하고 웃고 떠들다 갑자기 정색하고 기분이 다운되거나 화를 내는 사람들이 이런 타입일 수 있다. 이런 비정상적인 집착 형태는 좌우 뇌가 균형적이지 않기 때문에 나타나는 감정이다.

뇌의 전전두엽은 20세가 넘어야 성숙한다. 그래서 청소년의 대뇌 발달과 심리 행동을 비교·추적해보면, 불안하고 충동적이다. 좌뇌는 언어, 논리, 문자 같은 사고력을 요하는 것을 담당하고 우뇌는 감정적 신호 처리와 경험을 기억하며 운동 능력을 담당한다. 이 운동 능력에는 각 내장 기관이 자기 역할을 다하는 것도 포함된다. 그래서 좌뇌가 세상과 소통하는 동안 우뇌는 내면과 대화한다는 말도 있다. 한쪽 뇌만 발달한다는 것은 곧 정서적 불균형 상태를 만드는 것이다. 좌뇌에 지배된 사람들의 특징은 모든 문제의 원인을 외부에 있다고 한다. 모든 문제에 대해 통제할 수 있고 예상 가능하고 논리적으로 이해될 수 있다고 믿는다. 그렇기 때문에 해결되지 않는 문제에 대해서는 다른 사람 탓을 하면서 화를 내는 경우가 많다. 우뇌에 지배되는 사람들의 특징은 서운함과 서러움만 강하게 기억하는 것이다. 주로 어린 시절의 특정한 부정적 기억만 계속 기억하고 곱씹는 경향이 있다. 대인관계에서 부적절하게 감정이 지배적인데 스스로를 자책하며 스트레스를 받기도 한다. 유년기 때 형성된 애착 관계와 무의식에 내제된 애착의 손상된 형태를 집착으로 규정한다면 한 번 형성된 애착 관계가 영원히 지속되지 않는 것처럼 집착의 형태로 나타난 비정상적인 애착 역시 노력 여하에 따라 개선될 여지가 있으며 좌뇌와 우뇌의 발달 비중에 따라 비정상적인 집착이 생길 수도 있기 때문에 비정상적인 집착인지 아닌지는 정확한 평가를 받아보는 것이 도움이 된다. 애착과 집착은 병리적인 기준의 경계에 서 있는 감정이기 때문에 치료를 요하는 증후군은 반드시 상담과 약물 치료를 병행하는 것이 좋다.

무엇보다 가장 중요한 것은 신체적으로 느껴지는 통증만이 통증이 아니라는 인식이다. 감정과 관련된 신체적 통증은 연구와 임상을 통해 그 실체가 설명이 되는 것들임에도 우리는 감정과 관련된 것들을 쉽게 간과해버리는 경우가 종종 있다. 근육과 뼈와 신경으로 느끼는 통증은 인간과 동물 모두에게 공평하다. 그러나 감정과 관련된 아픔은 인간에게 가장 복잡한 통증이기 때문에 동물보다 훨씬 다양한 아픔의 양상을 가지고 있다. 그것은 우리가 가장 복잡하고 아름다운 피조물이기 때문에 견뎌야 할 무게이기도 하고 추상적인 모든 개념을 사고하고 느낄 수 있는 존재로서의 천형(天刑)이기도 하다.

스트레스 저항군, 코르티솔

앞서 우리는 심리적인 문제가 단순히 추상적인 관념에서 끝나지 않고 인체의 생물학적인 반응을 이끌어낸다는 것을 알게 되었다. 스트레스라고 명명된 카테고리는 너무나 방대하여 일상용어가 되었다. 일상적으로 우리와 함께하는 스트레스에 대한 심리적인 방어 기재는 무뎌지는 것일 것이다. 스트레스를 유발하는 특정한 상황과 처음 만났을 때는 여러 가지 생각들이 생기겠지만 일정한 시간을 두고 반복된다면 일상화되고 무뎌진다. 문제는 그렇게 일상화되었다고 해도 스트레스는 스트레스라는 것이다. 스트레스라는 개념을 처음 만들어낸 분야는 호르몬을 연구하는 내분비학이다. 그리고 호르몬을 분비하는 것은 뇌의 제어와는 무관한 반응이다. 외부의 자극에 의해 감지된 스트레스는 일상화되어 특정한 호르몬을 분비하는데 가장 대표적인 것이 코르티솔Cortisol호르몬이다.

코르티솔은 마치 폭압적인 정치에 대항하는 저항군과 같다. 스트레스라는 상황에 반응하여 분비되는 호르몬이기 때문에 일명 '스트레스 호르몬'

이라고 불리기도 한다. 코르티솔은 콩팥 위에 위치한 부신이라는 부위에서 분비되며 이 부신이라는 부위는 아드레날린이 분비되는 곳이기도 하다. 코르티솔은 외부의 자극에 맞서 신경계를 흥분시켜 몸이 최대의 에너지를 만들어낼 수 있도록 하는 과정에서 분비되며 혈압과 포도당 수치를 높이는 역할을 한다. 혈압과 포도당 수치가 높아지는 것은 음식물을 섭취할 때 나타나는 현상이기도 한데 스트레스를 받을 때 단맛이 나는 음식을 먹으면 스트레스가 해소되는 느낌이 드는 것이 바로 그 때문이다. 그렇기 때문에 코르티솔은 식욕을 부추기고 복부에 지방을 쌓는 작용을 하며 섭취된 음식을 분해해서 당분을 글리코겐의 형태로 간에 저장하는 것을 촉진시킨다. 또한 인체에 에너지가 필요하면 간에 저장된 당분과 지방 세포의 지방산을 혈액으로 내보내는 역할을 담당하기도 한다. 피부의 염증을 가라앉히는 효과도 뛰어나서 피부과에서 처방하는 약 거의 대부분에 코르티솔 성분이 들어가 있다. 피부의 염증뿐 아니라 감기, 알레르기, 관절염에도 효과가 있어 세균 감염성 질환을 제외한 거의 대부분의 질병에 처방이 된다. 스트레스 반응에 코르티솔이 분비되지 않는다면 스트레스 때문에 상한 몸과 마음이 회복되지 못하고 계속 스트레스 상태에 놓여 있으며 많은 정신적인 질환이 파생이 될 것이다. 문제는 코르티솔 호르몬이 가지고 있는 부작용 역시 만만치 않다는 것이다. 스트레스를 해소하기 위해 분비되는 코르티솔 호르몬의 본래 기능보다 부작용이 더 많이 알려져 있어서 부정적인 이미지를 가지고 있는 것도 사실이다.

먼저 코르티솔의 과다 분비로 인한 부작용을 생각하기 전에 왜 과다 분비되는가를 생각해보아야 한다. 코르티솔은 스트레스에 반응하는 호르몬이기 때문에 이것은 현재 과도한 스트레스를 받고 있는 중이란 것을 말한다. 즉, 코르티솔의 부작용의 원인 역시 스트레스라는 것을 알아야 한다. 일반적으로 혈액 중 코르티솔의 양은 6~23mcg/dl 정도가 정상이며 이 이상을 넘어가면 우리가 일반적으로 알고 있는 코르티솔의 부작용들이 시작된다. 스트레스를 받는 상황이 만성화가 되면 과다 분비된 코르티솔에 의해 혈압과 혈당이 상승한다. 가볍게는 혈당으로 인한 체온 상승과 혈압에 의한 두통 증세가 있지만 장기화되면 고혈압과 뇌졸중으로 이어질 수 있다. 또한 비정상적인 식욕을 유발하여 과식과 폭식으로 이어지는데 정상치보다 많은 음식물은 당연히 비정상적인 인슐린 대사와 연결된다. 인슐린의 주요 기능은 섭취한 음식물에서 운동량과 활동량을 넘어가는 잉여 에너지를 지방으로 바꾸어 저장하고 저장된 지방이 운동 에너지로 전환되는 것을 최대한 저지하는 것이다. 이런 상태가 계속되면 비만으로 이어진다. 그렇기 때문에 다이어트를 할 때 스트레스를 관리하는 것은 단순히 심리적인 면 때문만이 아니라 생물학적인 이유도 있다. 과도한 인슐린 대사는 결국 당뇨병과 당뇨합병증으로 진행된다. 또한 코르티솔 수치가 높은 사람들이 암 발병률도 높다는 연구 결과도 있다. 스트레스가 암을 유발한다는 통계적인 사실인 것이다. 하지만 코르티솔의 부작용 중에서 가장 위험한 것은 따로 있다.

코르티솔 부작용에 의해 파괴되는 것들은 몸의 값지고 중요한 것들이다. 파괴되었을 때 몸뿐만 아니라 마음까지 약해질 수 있는 것들인 이유는 저 멀리 파괴의 시발점이 심리적인 면이기 때문일 것이다. 코르티솔은 스트레스에 대한 저항군 역할을 하지만 그 부작용은 인체의 마지막 저항군이 주둔하고 있는 최후 방어선을 파괴해버린다. 바로 면역력이다. 흔히 면역력이 떨어졌다고 하거나 좋아졌다고 표현하지만 사실 면역력은 수치화된 정보로 좋다, 나쁘다 판단하기에는 무리가 있다. 면역력은 신체의 여러 가지 균형을 의미하기도 한다. 코르티솔 부작용은 앞서 열거한 대로 과잉으로 인한 불균형을 초래한다. 면역력은 과도한 영양 섭취에 의한 합병증으로 떨어지기도 하지만 아주 당연히 영양 결핍 상태에서도 떨어진다. 면역력은 면역계라는 면역 시스템에 의해 유지되며 감염이 되거나 오염이 되었을 때 놀라울 정도로 다양한 방법으로 위험 요소를 제거하고 침입을 방어하는 시스템이다. 간단한 예로 외부의 바이러스에 감염되거나 상처를 통해 직접 세균이 침투한 경우 몸에서 고열이 나거나, 피부 조직이 상했을 때 일어나는 흉터 조직화 같은 것들이 우리가 흔하게 볼 수 있는 면역계에 의한 신체 반응이다. 면역력이 떨어지거나 면역 기능이 파괴되었다는 것은 각종 질병에 대항할 수 있는 마지노선이 무너졌다는 뜻이다. 만성화된 스트레스는 과도한 코르티솔 분비로 이어지고 결국 인체의 최후 방어선인 면역력에까지 영향을 미친다.

서양 속담에 "망각은 신이 인간에게 준 최고의 선물"이라고 했다. 어느 날 갑자기 지금까지 살아왔던 모든 순간의 기억이 생생해진다면 인간의 심리는 어떤 변화와 만나게 될까? 고통스럽거나 부끄러웠던 순간들이 시간이 지나도 지워지지 않고 어제 일처럼 생생하다면? 상상도 못할 만큼 고통스러울 것이다. 아마도 정신 병원이 호황을 맞거나 SF영화에 나오는 기억을 조작하거나 잊는 약, 혹은 그런 시술들을 개발하기 위해 난리가 나지 않을까 싶다. 중요한 것은 그런 약들이 개발되어 도움을 받는다고 해도 삶을 사는 과정에서 그런 기억이나 생각들이 없었던 것이 되지 않고 계속해서 만나게 된다는 것이다. 인간의 심리라는 것은 어쩌면 그런 기억으로 지탱되는 것이 아닐까 싶다. 우리의 육체 역시 어쩌면 통증으로 지탱되는지도 모른다. 관절을 움직일 때 생기는 마찰에서 오는 통증이나 서 있거나 보행할 때 무릎 슬개골에 가해지는 체중 몇 배의 충격, 수십 킬로그램에 달하는 체중과 중력이 더해진 무게를 지탱하는 항중력근들, 이런 통증들은 일상적으로 반복되어 발생하는 통증 신호이기 때문에 그 강도가 역치 미만이므로 두뇌는 이런 종류의 통증 신호를 받으면서도 계속 무시하는 것이다. 적당히 모르고 살아야 일상이 가능한 그런 종류의 통증들이기 때문이다.

부상을 당하거나 상처를 입었을 때 통증의 역치와 만나게 되면 아마 다들 그렇듯 일단 참을 수 있는 만큼 참아보게 된다. 역치 이상의 고통과 만나는 최악의 경우에 사용하기 위해 인류는 '진통제'라는 것을 발명해냈다. 진통제는 통증을 제거하거나 경감시키는 목적으로 사용하는 의약품이다. 약국에서 판매되는 알약이나 캡슐 형태의 진통제들이 일반적이지만 가장 강한 진통제는 뭐니 뭐니 해도 모르핀이다. 모르핀은 아편의 한 종류이기 때문에 마약류로 분류되지만 아편에서 떨어져 나온 또 다른 종류인 헤로인과 달리 엄연히 '향정신성의약품'으로 분류된 진통제다. 합성 물질이 아닌 천연 성분 물질로는 가장 강력한 진통 효과가 있는 모르핀은 다른 진통제에 비해 뇌에서 쉽게 받아들이기 때문에 반응도 빠르다. 모르핀Morphine이라는 이름의 유래는 그리스로마신화에 등장하는 잠의 신 '모르페우스Morpheus'에서 유래했다. 마치 잠들 듯 모든 고통에서 해방될 수 있기 때문이지 않을까 싶다. 모르핀은 현재 진통제로 분류된 의약품들 중 가장 강력한 진통 능력을 가지고 있기 때문에 신체를 절단하는 수술이나 말기 암 환자처럼 심각한 고통을 동반하는 환자들에게 투여하는 진통제다. 또한 전쟁터에서 부상당한 병사들에게 사용되는 진통제이기도 하다. 모르핀의 정말 대단한 점 혹은 무서운 점은 투여하고 약효가 진행되고 있는 동안은 모든 육체적인 통증에서 해방될 수 있다는 것이며 이것은 절단 수술 후유증이나 전쟁터에서 입은 총알 관통상 같은 역치를 한참 뛰어넘는 통증뿐만이 아닌 살아가면서 뇌에서 무시되는 작은 통증 신호까지 포함된다. 그렇기 때문에 모르핀은 진통제, 의약품임에도 마약처럼 강한 의존성을 갖게 된다. 모르핀을 맞게 되면 평소에는 고통인 줄도 몰랐던 것들까지도 사라져버리기 때문에 약효가 떨어진 순간 뇌가 평소에 무시하던 통증 신호마저도 모두 생생하게 살아나 고통을 느끼게 되는데 이 고통은 평소에 겪어보지 못했던 종류의 통증이기 때문에 모르핀을 투여 받았던 사람은 다시 모르핀을 요구하게 되고 강한 의존성을 만들어낸다. 이것이 모르핀을 마약류로 분류해도 이상하지 않은 점이다.

인간의 뇌가 받아들이는 진통제 중 가장 빠른 속도를 자랑하는 것이 바로 모르핀이다. 학자들은 모르핀을 연구하던 중 모르핀이 뇌에 영향을 미치는 속도가 비정상적으로 빨라서 모르핀과 같은 역할을 하는 물질이 원래 체내에서 분비되는 것이 아닐까라는 생각으로 연구를 했고 마침내 발견한 그 물질에 체내Endo의 모르핀Morphine이라는 뜻을 담아 엔도르핀Endorphin이란 이름을 붙인다. 실제로 모르핀과 엔도르핀의 분자 구조는 상당히 유사하다. 뇌내 마약이라고 불리기도 하는 엔도르핀은 앞서 모르핀에 대한 설명에 의거해서 뇌내 진통제라고 하는 것이 맞을 지도 모른다. 엔도르핀은 인간을 포함한 동물의 뇌에서 분비되는 아편성 펩타이드(알파-아미노산이라는 물질로 이루어진 일종의 작은 단백질)다. 즉, 뇌와 뇌하수체에서 분비되는 아편 유사제를 일컫는 말로, 호르몬이자 중앙 신경계의 아편 수용체에 반응하는 신경 전달 물질이기도 하다. 엔도르핀은 뇌와 뇌하수체에서 만들어지는 물질이지만 마약과 다를 바가 없다. 대체 왜 우리의 뇌는 마약과 다름없는 물질들을 분비해내는 것일까? 통증에 앞서 이것의 용도는 사실 쇼크 Shock와 관련이 있다. 쇼크라고 하는 반응은 여러 가지가 있지만 일단 의학적인 의미는 여러 가지 원인에 의해 체내 기관들에 공급되는 적정 혈류가 부족해지는 상황을 의미한다. 혈액 공급을 받지 못한 신체의 주요 장기들은 기능이 급격히 저하되며 생명이 위험해지는데 이때 이러한 위험으로부터 먼저 보호해야 할 장기의 우선순위는 뇌와 심장이다. 쇼크는 원인에 따라 몇 가지 반응이 있지만 보통 혈압의 감소와 심박수 증가를 동반하며 저산소증과 심장마비로 이어진다. 저산소증에 가장 위험한 장기는 뇌이며 심박수 증가에 따른 심장마비에 위험한 장기는 두 번 말하지 않아도 심장임을 알 수 있다. 이처럼 뇌와 심장에 직격탄을 주는 쇼크를 '저체액성 쇼크', '심장성 쇼크'라고 한다. 이 외에도 외부의 충격으로 경추나 척추에 압박을 받아 신경계에 직접 쇼크를 유발하는 '신경성 쇼크'와 알레르기 반응 때문에 급성으로 기도가 폐쇄되며 호흡 곤란을 유발하는 '과민성 쇼크', 그리고 충격적인 일이나 잔인한 장면을 목격했을 때 정신적으로 큰 충격을 받는 '정신적 쇼크'가 있다. 이런 쇼크들은 원인은 다르지만 호흡 곤란이나 심정지와 같이 방치할 경우 생명에 위협이 될 수 있다. 강한 충격 때문에 쇼크를 받은 상태에서 우리 몸은 인체의 통증을 경감하여 쇼크로부터 생명을 보호하기 위하여 엔도르핀을 분비하는데 모르핀의 수백 배에 달하는 효과라고 알려져 있다.

의학적 의미에서 쇼크는 엔도르핀이 분비되는 상황 중에서도 다소 극단적인 예라고 볼 수 있다. 이런 극단적인 예가 아니더라도 가벼운 통증 감각에도 엔도르핀이 분비되기도 하는데 가벼운 예로 자주 언급되는 것이 매운맛의 음식을 먹었을 때다. 매운맛은 맛이 아니라 입안 세포들이 느끼는 일종의 통증이기 때문에, 그 통증에 대해 엔도르핀이 분비되고 그것에 중독되어 매운맛이 중독성을 갖게 된다는 것이다. 물론 이것은 가설이지만 통증과 엔도르핀 분비의 관계로 보았을 때 설득력을 가진다. 정설로 밝혀진 바는 없지만 '플라시보 효과' 역시 엔도르핀 분비와 관련이 있을 것이라는 연구도 있다. 이와 같은 가설들이 끊임없이 연구되고 있는 이유는 엔도르핀이 가지고 있는 여러 가지 생리적 역할 중 가장 중요한 것이 진통 효과이기 때문이다. 엔도르핀은 앞서 언급한 쇼크와 관련된 모든 요소에 반응하고 '러너스 하이'로 대변되는 신체적 스트레스와 이에 기인한 정신적인 스트레스에도 반응한다. 즉, 순간적으로 느껴지는 높은 수준의 통증뿐 아니라 지속적인 스트레스에도 반응을 하며 스트레스를 많이 받을수록 혈액 속 엔도르핀 농도가 높아지며 고통을 느끼는 역치의 임계점을 상승시킨다는 실험 결과도 있다.

엔도르핀은 즐겁거나 행복할 때 나오는 물질이 아니라 고통스럽고 힘겨운 상황에서 이를 감쇄하기 위해 분비되는 뇌내 진통제다. 마라톤 거리를 뛰어넘는 울트라 마라톤이나 철인 3종 경기처럼 일반적이지 않은 강도의 운동을 지속적으로 할 때 발생하는 '러너스 하이'는 대표적인 엔도르핀 분비로 볼 수 있는 증상이며 고통스러운 운동을 지속적으로 할 수 있게 해주는 중요한 요소다. 그래서 익스트림 스포츠를 즐기는 사람들은 종종 엔도르핀에 중독되어 고통을 감수하면서 운동을 강행하는 경우도 생긴다. 흔히 말하는 '운동 중독' 증상이 바로 엔도르핀 중독과 다르지 않다는 것인데 엔도르핀은 인체에서 분비되는 것이라 다른 마약류와는 다르게 법으로 제재할 수 없어서 그렇지 법으로 금지되어 있는 헤로인 같은 마약류와 비교하면 더 강력한 중독성을 가지고 있기 때문에 충분히 중독 증상을 보일 수 있다.

엔도르핀에 대해서는 아직 연구를 진행하고 있지만, 신체적인 것뿐 아니라 정신적인 것도 몸에서는 하나하나 반응하고 있으며 어떤 반응들은 생명과 직접 연관이 있는 중요한 장기의 운동에도 영향을 미친다고 한다. 엔도르핀의 가장 큰 역할은 강한 진통 효과를 통해 이런 외부의 충격으로부터 신체에 미치는 영향을 조절하는 것이다.

아드레날린Adrenaline의 아드레날Adrenal은 부신(副腎)이라는 뜻이다. 부신이란 신장의 좌우에 한 쌍씩 존재하는 내분비 기관을 말한다. 사족 보행하는 동물들은 보통 신장의 앞쪽에 위치하고 있으나 인간은 신장 위쪽에 밀착하여 위치하며 얇은 피막으로 싸여 있다. 너비 4~5cm, 높이 2~3cm, 중량 7~8g이다. 부신은 호르몬을 분비하는 기관으로 여기서 분비되는 호르몬을 '부신피질 호르몬'이라고 한다. 아드레날린은 교감신경이 외부의 자극에 반응해 부신 수질에서 방출되는 호르몬이다. 부신피질에서 분비되는 호르몬은 아드레날린 말고도 여러 가지가 있지만 어째서 아드레날린만 자신을 만들어내는 신체기관의 이름을 쓸 정도로 대표적인 존재가 되었을까? 이것을 알기 위해서는 교감신경의 작동 원리를 알아볼 필요가 있다. 교감신경은 부교감신경과 함께 자율신경계를 이루고 있는 말초신경계인데 자율신경계는 심장 박동, 소화관 운동, 소화액 분비와 같이 대뇌의 제어를 벗어나 우리의 의지와 관계없이 작동되고 조절되는 신경계를 말한다. 교감신경이 흥분하면 동공 확장, 심장 박동 증가, 혈압 상승, 소화액 분비 억제 등의 반응이 일어난다. 이 대체적인 반응들은 신체를 위험한 상황에 대처할 수 있는 긴장 상태로 변환시키는 것으로 이러한 반응을 싸움−도주 반응Fight-or-Flight Response이라 한다. 쉬운 예로 고양이가 놀라거나 적을 만나면 털을 밤송이처럼 세우는 것을 볼 수 있다. 이것은 교감신경에 반응하는 근육 중에 털세움근도 들어가기 때문인데 작고 짧아서 잘 보이지 않지만 인간도 고양이와 마찬가지로 털세움근이 반응하여 피부의 털들이 모두 선다. 이렇듯 교감신경이 자극을 받으면 강도에 따라 다르지만 몸에서 일어나는 각종 반응들은 싸움−도주 반응에 도달하고 이것에 절대적으로 영향을 미치는 호르몬이 바로 아드레날린이다. 위기 상황이 감지되고 교감신경이 자극을 받으면 분비되는 아드레날린의 가장 큰 기능은 바로 신체 능력의 일시적인 향상이다. 인간은 종종 위기 상황에서 초인적인 힘을 발휘하는데 차를 들어 올려 차에 깔린 아이를 구해낸 어머니의 이야기나 납치를 당한 여성이 건장한 납치범을 집어 던지고 도주했다거나 하는 이야기들은 분명 아드레날린과 연관이 있는 이야기들이다.

아드레날린이 보여주는 일시적인 신체 능력의 향상의 비밀은 사실 허무할 정도로 간단하다. 일상생활에 필요한 에너지를 한순간에 몰아서 집중적으로 소모해버리는 방식이다. 즉, 몸의 다른 부분에 필요한 에너지와 비축해놓은 에너지를 그대로 끌어다가 쏟아부어버리는 것이다. 아드레날린은 스트레스가 심한 상황에서도 분비가 되는데 이때 반응하는 교감신경의 반응 중 하나가 위와 장의 '꿈틀 운동'을 정지시키는 것이다. 우리는 인지하지 못하겠지만 소화 흡수 과정에서 내장 기관이 움직이는 에너지와 시간은 상당하다. 위기 상황에서 우선순위를 두고 반응하는 행위는 일종의 생존 본능과 같은 것인데 음식물을 소화 흡수하는 것보다 위기 상황에 대처하는 것이 우선순위가 너 높고 에너지를 나누어 쓰는 것은 효율적이지 못하기 때문에 그 에너지를 전투 상황에 사용하기 위해서 위와 장의 기능을 일시 정지시킨다. 스트레스가 극심한 상황에서 소화불량이나 좋지 않은 장(腸)운동으로 인해 설사나 복통이 생기는 것은 바로 이것 때문이다. 중요한 시험이나 면접을 앞두고 복통이나 소화불량을 겪는 것은 긴장 상태로 스트레스에 의한 교감신경의 반응인 것이다. 이렇게 분비된 아드레날린은 소화 기능을 줄이고 그 에너지로 싸우거나fight 도망치거나flight 둘 중 하나를 하도록 해준다.

순식간에 신체의 모든 에너지를 사용하면 일시적으로 신체 능력이 상승되지만 후유증도 존재한다. 종종 격렬한 신체 활동을 하고 난 이후 급격하게 피로감이 몰려오는 경우가 있다. 격렬한 신체 활동은 몸 안의 운동 신경을 구석구석 자극하는 행위이며 가장 안전하게 교감신경을 자극하여 아드레날린을 분비시키는 행위다. 위기 상황에서의 대표적인 반응은 교통사고 후유증이다. 보통 교통사고를 당한 당시에는 아무렇지도 않다가 시간이 흐른 후 통증을 동반한 증상이 오는 경우가 종종 있다. 일반인들에게 전쟁과 같은 극단적인 상황이 아닌 일상에서 전쟁에 필적할 만한 위기 상황은 교통사고 정도라고 볼 수 있지만 운동선수들에게 아드레날린은 격렬한 신체 활동을 가능하게 해주는 부스터Booster 같은 역할을 한다. 특히 럭비나 미식축구처럼 격렬한 몸싸움이 동반되는 구기 종목이나 복싱, 레슬링, 종합격투기와 같은 투기 종목에서 아드레날린은 선수로 하여금 경기를 지속시킬 수 있게 해주는 필수 요소이기도 하다. 우리는 경기를 관람하며 저렇게 격렬한 몸싸움을 어떻게 견뎌낼까 생각하지만 운동선수들도 관람하는 사람들과 마찬가지로 뼈와 살로 이루어진 인체를 가진 사람들이다. 단련의 여하에 따라 달라지겠지만 경기가 진행되는 동안 극도의 긴장 상태와 흥분 상태 속에서 경기를 하고 경기에 몰입할수록 아드레날린의 분비량은 더욱 많아진다. 이것은 기술과 힘이 정점에 서 있는 상대 선수의 타격이나 격렬한 몸싸움에서 오는 통증마저 견뎌낼 수 있게 해준다. 그러나 인체는 유한한 존재이기 때문에 에너지 부채에 대한 대가를 요구한다. 급박한 사고 상황에서 순간적으로 긴장하며 사용된 육체도 친선 조기 축구에서 한 골을 위해 질주한 육체도 프로 스포츠의 승부를 위해 사용된 육체도 모두 아드레날린을 사용한 흔적이 남으며 이것을 회복하기 위한 충분한 시간과 영양을 필요로 한다.

　세계적인 게임 스타크래프트Starcraft 속에 등장하는 캐릭터 마린Marine의 스팀 팩Steam Pack의 콘셉트가 바로 아드레날린이다. 게임 캐릭터의 설정이지만 스팀 팩이 투여된 마린(지구인)은 흥분 상태가 되며 이동 속도가 빨라지고 전투력도 올라간다. 그러나 외부의 공격에 대한 데미지를 버틸 수 있는 에너지가 떨어진다. 아드레날린은 신체 내부에서 분비되는 호르몬이자 신경 전달 물질이다. 그럼에도 불구하고 투여한 동물의 절반(50%)이 사망하게 되는 수치를 말하는 반수치사량이 4~10mg일 정도로 맹독성 물질이기도 하다. 그렇기 때문에 너무 잦은 빈도수로 아드레날린에 노출되면 건강에 좋을 것이 없다. 그렇다면 격한 신체 활동인 스포츠를 즐기는 것도 건강에 좋지 않은 것일까? 일정 강도 이상을 넘어선 스포츠 활동에서 아드레날린이 분비되는 것은 맞지만 스포츠는 체력의 분배와 특정 스포츠를 수행하기 위한 기술이 전체적인 경기 운영을 위한 전술적인 요소로 작용한다. 그러므로 아드레날린에 노출되어도 휴식과 회복을 주기적으로 반복하며 이것을 상쇄시키는 훈련의 단계를 거치면 된다. 아드레날린은 사실 이렇게 훈련된 상황에 대처하기 위해서라기보다는 사고에 가까운 위기 상황이나 정신적인 스트레스에 반응하기 위해 분비된다고 하는 편이 본질에 더 가까울 것이다. 만화적인 상상력이지만 자주 교통사고를 당하는 상황이라면 당연히 건강에 좋을 리가 없다. 물론 현실적으로 그럴 가능성은 매우 낮지만 말이다. 하지만 스트레스를 받는 상황이라면 이야기가 달라진다. 스트레스를 받아도 아드레날린은 분비되기 때문이다. 스트레스를 받으면 건강에 좋지 않은 것은 두말하면 입 아픈 이야기다. 여러 가지 이유 중 아드레날린의 잦은 분비도 이유가 될 수 있는데 아드레날린은 혈당량을 높이는 대표적인 호르몬이기 때문이다. 즉, 잦은 스트레스는 잦은 아드레날린 분비를 유도하고 이것은 고혈당으로 이어질 수 있다는 것이다. 인슐린이 정상적으로 나오는 사람 역시 스트레스를 많이 받으면 여러 가지 좋지 않은 증상이 나타나지만 당뇨병 환자들이 스트레스도 관리해야 하는 것이 바로 아드레날린 때문이며 평소와 똑같은 양의 음식물을 섭취하고 똑같은 양의 인슐린을 투여했음에도 혈당이 높다면 스트레스로 인한 아드레날린을 염두에 두어야 한다. 이런 이유 때문에 스트레스는 당뇨병 환자들의 혈당 관리에 매우 좋지 않은 영향을 미친다.

격렬한 움직임과 위기 상황에서 분비되는 아드레날린은 지치고 힘든 상황에서 지속적으로 수반되는 통증을 잊게 만들 정도의 체내 흥분제다. 이와 반대인 경우에도 의학적으로 사용되는데 지속적인 운동성을 가져야 하는 신체 부위가 멈추었을 때 혹은 과민성 쇼크로 신체가 경직되었을 때 사용되곤 한다. 대표적인 것이 바로 심장마비에 사용되는 강심제다. 심장은 뇌와 함께 인체에서 가장 중요한 장기다. 심장이라는 엔진이 멈추면 체내에 혈액과 산소의 공급이 끊기게 되어 사망에 이르는데 4분 이내에 조치해야 생존 가능성이 높아지며 10분에서 15분 이상 심장이 뛰지 않으면 사실상 사망으로 보아야 한다. 이럴 때 사용하는 것이 강심제인데 아드레날린은 강한 독성을 가지고 있는 흥분제이기 때문에 정지되어 운동하지 않는 심장에 자극을 주어 운동을 유도한다. 이외에도 알레르기 반응 등으로 호흡 곤란이나 근육 경직 등의 증상이 생겼을 때 아드레날린을 0.15~0.5mg

정도 근육 주사제로 투여하면 효과가 있으며 동공 확대용 국소마취제로도 사용된다. 이처럼 지속적인 운동성을 유도해내는 용도로도 사용되는 아드레날린은 통증 역치의 임계점을 넘어간 시점에서 통증을 잊도록 분비되는 엔도르핀과 다르게 위기 상황이나 활동적인 상황에서 에너지를 폭발적으로 사용하여 빠른 위기 대처와 지속적인 운동을 할 수 있게 해주며 역치 이내의 통증에 대한 감각을 일시적으로 낮춰주는 역할을 한다.

칼 짐머의 저서 〈기생충 제국Parasite Rex: Inside the Bizarre World of Nature's Most Dangerous Creatures. 2001〉에 등장하는 '톡소포자충'이라는 기생충의 이야기가 흥미롭다. 이 기생충에 감염되면 체내에 자연 살해 세포라는 면역 세포가 늘어난다는 보고가 있는데 자연 살해 세포란 혈액 내 백혈구의 일종으로 암세포를 파괴하는 면역 세포다. 그 외에도 돼지 편충의 알을 이용하여 면역 체계를 자극하는 방법으로 알레르기와 같은 자가 면역 질환을 치료하는 사례도 등장한다. 이 상관관계는 마치 역치를 넘어선 통증과 그 통증에 대처하는 인체의 통증 완화 시스템과 닮아 있다. 통증이란 것의 원인은 대부분 외부에서 온다. 그리고 우리의 몸은 외부에서 오는 그 어떤 것에도 반응하게끔 정교하게 설계되어 있다. 단순한 물리적 압박으로 생기는 통증이나 시간과 무심함으로 공들여 쌓아 올린 만성 근골격계 통증과 엔도르핀의 전투는 마치 SF영화에서 지구를 침공하는 외계인과 저항하는 지구 방위군 간의 전투와 같다. 정신적인 스트레스와 코르티솔은 지구 내에서 벌어지는 민족 간의 전쟁과 같다. 이렇듯 통증의 종류에 따라 기계적으로 반응하는 인체 시스템은 매우 정교하지만 사람의 몸은 한 공장에서 생산된 기계가 아니기 때문에 같은 원인에 같은 결과 값을 내지 않는다. 정상적인 몸 상태라면 엔도르핀이고 코르티솔이고 같은 상황에서 분비가 되지 않는 사람은 없을 것이다. 건강한 사람이라면 허약한 사람보다 더 좋을 것이고 단련으로 강한 사람이라면 단순히 건강한 사람보다 더욱더 좋을 것이다. 오래된 종교에서는 정신적인 깨달음을 얻기 위한 수행법들이 있는데 대부분은 강도 높은 신체 활동과 맞닿아 있다. 아마도 인류의 역사에서 발견한, 정신적인 고통을 극복하기 위한 가장 효율적인 방법론이 아닐까 싶다. 정신을 움직여 육신의 통증에서 해방되는 것은 너무나 고고한 경지의 일이지만 육체를 단련하여 스트레스를 이겨내는 것은 지금 당장 동네 뒷산을 뛰는 것만으로도 접할 수 있는 효율적인 방법이다. 육체는 정신을 담는 그릇이라는 말이 있다. 스트레스는 잘 단련된 근육으로 견디는 것이다.

비욘드 더 페인

PART 5

통증의
신대륙

지면과 인간의 경계,
운동화

　　인간은 평생 동안 얼마의 거리를 이동할까? 통계에 따르면 평균 약 10만 5000km 정도라고 한다. 어떤 기준의 평균인지는 모르겠지만 대체적으로 이동 수단이 원시적인 곳에 사는 사람일수록 더 많은 거리를 걸어서 이동한다는 것은 자명한 사실이다. 재미있는 것은 이동 수단이 원시적인 곳일수록 신발을 신는 곳이 적다는 것이다. 신발이라는 이기(利器)는 거친 자연환경 중에서 지면에만 국한된 물건이다. 그런데 자동차나 기차와 같은 이동 수단이 발달된 곳일수록 사람들은 신발을 신고 발달된 교통수단을 이용하고 이동 수단이 낙후된 곳일수록 사람들은 맨발로 장거리를 이동하는 경우가 많다. 이상한 일이다. 도보로 이동해야 하는 곳일수록 인간의 발은 지면과 더 많은 접촉을 해야 하고 그렇다면 당연히 신발이 발달하고 보급되어야 할 텐데 실상은 그렇지 않다는 사실이 이상하기만 하다. 진짜 문제는 그것이 이상한 것이 아니고 당연하다고 생각하는 선입견이다. 그렇다면 신발은 언제부터 인류의 발과 함께했을까?

문헌에 기록된 가장 오래된 신발은 기원전 2000년경 고대 이집트에서 시작되었으며 파피루스로 엮은 샌들과 유사한 모양이라고 알려져 있다. 이것은 문헌에 기록된 가장 오래된 신발일 뿐 사실 인류가 언제부터 신발을 신었는지는 정확히 알 수 없다. 다만 인류가 바늘을 발명하여 옷을 최초로 만들어 입었던 것이 약 2만 5천 년 전인 만큼, 이 무렵부터 신발이 등장했을 것이라고 추측할 수 있으며 시베리아에서는 약 2만 년 전에 만든 가죽신이 발견되기도 했다. 혹한의 시베리아와 혹서의 이집트 사막에서 추위를 극복하고 뜨거운 햇살로부터 몸을 보호하기 위해 옷이 만들어졌듯이, 신발역시 동상을 방지하기 위해 그리고 뜨거운 바닥의 열기로부터 발을 보호하기 위해 먼저 발전하게 되었다. 이렇듯 신발의 기원은 일반적인 자연환경이 아닌 무언가 필요한 자연환경에서 옷과 함께 발생했다고 추정되지만 그 이전의 인류는 어떠하였는지는 역시 알 수가 없다. 지금 확실한 것은 70억 지구인 중에서 신발을 신지 않고 이동하는 사람들이 지구인의 평생 평균 이동 거리인 10만 5000km의 평균값 대부분을 유지해주고 있으며 본래 인류가 신발을 탐닉하게 된 역사를 미루어 짐작하게 해준다는 것 정도다.

역사가 오래되었다고 인류 대부분이 신발을 신고 역사와 함께 해온 것은 절대 아니다. 지금처럼 누구나 신발을 신고 다닐 수 있고 신발을 신지 않은 사람이 부자연스러운 시대의 역사는 매우 짧다. 역사에서 신발은 지배 계급의 전유물이었으며 피지배 계급과는 무관한 물건들이었다. 부족 단위가 아닌 국가 단위에서나 볼 수 있는 것이었고 국가의 개념이 희박한 곳에서는 근대에 들어서도 보기 힘든 것이었으며 지금도 그 사실에는 변화가 없다. 많은 사람들이 아직도 신발을 신지 않고 생활하고 있으며 그것은 신발의 존재와 인류 보편의 방향은 무관하다는 반증이다. 신발은 의자와 함께 부자연스러운 역사의 한 축을 맡고 있다. 잘 닦인 아스팔트 도로 위도 맨발로 걷지 못하는 현대인과 모래와 자갈로 뒤덮인 흙길을 아무렇지도 않게 걷는 다른 문명권의 사람들을 보면 무언가 앞뒤가 맞지 않는 그림을 보는 것 같다. 태초에 직립을 하며 지면과 맞닿은 것은 쿠션이 있는 신발의 밑창이 아니라 뼈와 살 아래 혈액이 흐르는 살아 있는 발바닥이었다. 대지와 뜨거운 생명력이 살아 숨쉬는 인류의 발바닥 사이에 끼어든 불청객과의 조우는 바이러스에 전염된 것처럼 인류로 하여금 삽시간에 이것을 탐닉하게 만들어 버렸다. 그래서 고대 이집트나 중국 외에도 세계의 문명화된 대부분의 지역에서 신발이 나타났으며 초창기 신발의 형태는 나뭇잎이나 동물의 가죽으로 발을 감싸는 수준에 불과하였다.

재미있는 것은 초창기 형태 이후에 신발은 용도에 따라 여러 형태로 발전하고 만들어졌지만 군대와 같은 대다수의 특수 집단을 제외하고 나머지 사람들에게는 '초창기' 형태가 최근까지도 고수되었다는 것이다. 사실 인간의 발이라고 하는 것은 맨발로 보행하기에 적합한 형태로 이미 만들어져 있다. 그래서 맨발로 오랜 역사를 살아온 인간의 모습은 매우 자연스러운 것이고 다양하게 변화되고 발전되어온 신발의 역사는 어떤 목적을 가지고 있었다고 봐야 한다. 그렇기 때문에 종교와 권위의 상징이 아닌 '기능'에 목적을 두고 변하기 시작한 시점을 일반적인 신발의 역사로 보아야 한다. 그 첫걸음은 전쟁이다. 군대 이전에도 원시적인 형태의 전쟁은 존재하였다. 이것은 보통 유목 민족이 농경민족을 약탈하는 과정이었고 철기의 발달과 더불어 신발의 기능적인 발달이 함께 시작되었다. 전쟁이란 익숙한 환경에서 생소한 환경으로의 이동을 말하기도 한다. 사막에서 초원으로, 바다에서 산으로, 지금이야 여행 정도의 변화지만 과거에는 생명과도 직결되는 환경의 변화였다. 전쟁을 위한 이동은 전혀 다른 환경에서 심각한 난이도의 신체 활동을 필요로 한다. 그리고 환경 변화의 여러 가지 요소 중 지면의 변화는 이동속도와 밀접한 관련이 있는 가장 기본적인 요소이며 전술에 막대한 영향을 미치는 환경 요소다. 이것을 극복하기 위해서는 어떤 환경에서도 적응 가능하고 이동 속도에 최대한 영향을 미치지 않게끔 하는 기능적인 신발을 필요로 하게 되었다. 동서고금을 막론하고 군화가 병기의 일부가 되는 것은 이런 이유 때문이다. 이렇게 다른 민족과 환경을 정복하는 과정에서 인간과 문명은 뒤섞이게 된다. 신발은 그 일부로 발전을 하지만 안타깝게도 이것은 그저 기능적인 면에서 신발의 역사로 남게 될 뿐 19세기 이전까지는 우리의 발과 큰 상관이 없는 일이었다. 19세기 산업혁명은 인류의 모든 것을 바꾸어 놓기 충분했다. 신발 역시 예외가 아닌 것이 형태는 물론 보급률도 이전과는 다르게 많아졌다. 아이러니하게도 신발의 보급은 마차와 철도로 인해 발생하게 되었다. 먼 거리를 이동하는데 더 이상 오랜 시간을 들여 도보로 이동할 필요가 없어졌기 때문이다. 노동자층이 구입할 수 있을 정도로 기차표가 저렴해지면서 걷는 것이 이동을 위해서 반드시 필요한 요소가 아니게 된 것이다. 일본에서 전국시대가 끝나고 전쟁과 살육을 위한 검술이 더 이상 필요가 없자 사무라이들은 일본도가 아닌 목검과 죽도를 들고 검도를 가르치는 도장을 만든다. 마찬가지로 도보는 더 이상 어쩔 수 없는 것이 아닌 여흥을 위한 것으로 발전하게 된다. 먼 거리를 이동하기 위해 먹을 것과 밤을 지새울 것을 싸들고 모험을 떠나지 않아도 되는 시대를 맞이한 것이다. 생존을 위한 도보는 피트니스가 되었고 누가 더 먼 거리를 이동하는가. 누가 더 빨리 달릴 수 있는가와 같은 스포츠를 탄생시켰다. 걷기와 달리기 스포츠는 마케팅과 경주를 위한 장비를 제조하는 시장을 만들어냈고 1892년 육상 선수 윌리엄 포스터William Foster가 최초로 달리기용 스파이크가 달린 '펌프스'라는 신발을 착용하고 경기를 한다. 비슷한 시기에 스포츠가 아닌 일상적인 생활에 적합한 활동화가 등장하는데 밑창에 고무를 대어 만든 '스니커즈'가 바로 그것이다. 신발에 길들여진 연약한 발을 가지고 신발을 신고 생활하며 신발을 신고 발달된 이동 수단을 이용하는 현대인들의 역사 제 1장이다. 이러한 운동화와 활동화의 탄생으로 인간의 발은 혁명을 맞이한다. 더 이상 거친 지구의 경계와 맞서야 하는 역사에서 해방이 된 것이다. 그러나 이것은 몇 십 년 후에 맞게 될 혁명의 서막에 불과한 것이었다.

스핀오프

지금으로부터 약 1세기 전인 1915년 3월 3일. 미국은 비행체 개발·연구를 위해 국가항공자문위원회(NACA)라는 기구를 만들었으며 이것은 비군사적 목적의 연구 개발 기구였다. 그로부터 42년 뒤 구소련은 1957년 10월 4일 세계 최초로 인공위성 발사에 성공하는데 그로 인해 전 미국은 스푸트니크 쇼크로 충격에 빠지게 되었다. 큰 자극을 받은 미국은 NACA와 다른 연구 기관들을 통합하였고 이것이 바로 미항공우주국(NASA)의 시작이었다. 미항공우주국이 설립된 이후로 여러 가지 임무들을 수행해왔지만 그들의 궁극적인 목적은 하나였다. "어떻게 하면 인간이 우주로 나아갈 수 있을까?" 어마어마한 예산과 수많은 인재들이 그 누구도 접하지 못했던 우주 공간이라는 궁극의 미지에서 인간이 생존할 수 있도록 연구를 하였고 이 과정에서 세상에 없던 기술들이 쏟아져 나오기 시작했다.

There's more space in your life than you think.

당신이 생각하는 것보다 더 많은 우주가 당신 삶 속에 있습니다.

NASA가 스핀오프Spin-off 기술을 소개하며 내건 슬로건이다. 스핀오프란 영화나 드라마에서 기존의 본편에서 파생된 번외편을 말하는 용어로 스핀오프 테크놀로지는 NASA가 우주 개발을 하는 과정에서 나온 기상천외한 신기술들을 말한다. 2012년 기준 약 1,800개 스핀오프 상품이 있는 것으로 자체 집계되었으며 나사의 스핀오프 기술에 대한 슬로건처럼 우리가 일상생활에서 사용하는 물건들 중에 나사의 스핀오프 기술이 적용된 물건들은 생각보다 많다. 적외선 귀 체온계나 무선 진공 청소기, 핸드폰 카메라, 컴퓨터 마우스, 냉동 건조 식품 같은 것들이 대표적으로 나사의 스핀오프 기술이 적용된 제품들이다. 이런 스핀오프 기술이 적용된 제품들은 혁신적이고 인류의 생활을 좀 더 편리하게 만들어주는 것들로 없으면 불편하지만 없으면 살 수 없을 정도로 영향력을 미치는 것들은 아니다. 그러나 신발에 관련된 스핀오프 기술은 이야기가 조금 달라진다. 나사의 스핀오프 기술로 탄생된 제품 중에는 '러닝화'도 포함이 되어 있기 때문이다. 정확하게 말하면 쿠션 밑창과 신발 안창이 장착된 러닝화다. 나사의 대표적인 스핀오프 기술 중에는 메모리폼이 있다. 메모리폼은 우주인을 충격과 진동에서 보호하기 위한 목적으로 개발되었는데 유인 우주선을 발사할 때 탑승자는 로켓의 추진력으로 인해 체중의 몇 배에 달하는 중력을 물리적 충격

216

인류 통증 연대기

으로 받게 된다. NASA는 우주인을 충격으로부터 보호하기 위해 스펀지와 비슷한 소재의 충격 흡수 장치들을 개발하였는데 이것이 바로 메모리폼의 스핀오프 기술이 되었다. 메모리폼의 특징은 뛰어난 충격 흡수성과 복원성이다. 지금은 침구류에 주로 사용되지만 과거 메모리폼 기술을 주목한 곳은 다름 아닌 나이키였다.

1957년 미국 오리건 대학교에서 만난 운동선수 필 나이트Phil Knight와 코치 빌 바우어만Bill Bowerman은 운동화라는 공통의 관심사를 가지고 있었다. 미국의 운동화 시장을 독점하고 있는 독일 회사에 대한 견제와 기록 향상을 위한 신발의 기능에 대해 고민하고 있었고 1964년 블루 리본 스포츠Blue Ribbon Sports, BRS를 설립했다. 처음에는 운동화를 수입하여 유통하며 자본을 축적하던 그들은 1971년 자사의 신발 생산 라인을 구축하고 회사 이름을 나이키로 바꾸는데 운동화와 활동화는 그 이전에도 존재했지만 걷기와 달리기가 여가 활동과 스포츠 경기가 된 이후에 걷고 달리기 위해 만들어진 전용 신발은 러닝화라는 이름으로 나이키에서 1972년 처음으로 출시되기 시작한다. 좀 더 오래 걷고 빠르게 달리기 위해 체중의 몇 배나 달하는 충격을 감수해야 하는 무릎과 발목의 충격을 흡수해주면 더 좋을 것이란 발상에서 영입된 기술인 메모리폼이 쿠션 달린 러닝화를 만들어낸 것이다.

아주 간단하게 생각해보면 인간을 지구 중력권 밖으로 내보내기 위해 중력 이상의 속도로 날아올라야 하니 반대로 반발력이 생기는 것은 당연하다. 일개 인간과 지구의 중력이라는 거대한 힘의 줄다리기를 견딜 수 있게 만들어진 범우주적인 테크놀로지가 1중력 1기압 하에서 걷기와 달리기라는 너무나 일상적인 활동에 적용된 것이다. 이것은 활과 화살로 이루어진 원시 병기에 열추적 장치와 인공위성 위치 추적기를 달아 놓은 것과 비슷하다. 이전에도 운동화는 있었지만 나이키가 우주로부터 가져온 신기술로 만든 러닝화는 단숨에 인간의 발을 사로잡았다. 딱딱한 지면을 걷고 뛰던 발바닥에 적당한 탄성이 달린 쿠션이 주는 안락함은 긴 거리를 걷거나 좀 더 강력한 달리기를 할 때 훨씬 덜 피곤하고 안정감을 주었다. 가장 늦게 인간의 발과 조우한 쿠션은 가장 빨리 인간의 발과 친해진다.

이후의 발과 신발의 관계는 쿠션 이전과 이후로 나눌 만큼 신발의 역사에 큰 경계가 되어버린다. 거친 자연 음식만 먹다가 기름지고 부드러운 인스턴트 음식을 먹었을 때 느꼈을 법한 감미로움으로 지면의 느낌이 달라져버린 것이다. 좋은 것이 대세가 되는데 그리 많은 시간은 필요 없다. 수백 년간 식탁 위에 오르던 전통 음식이 패스트푸드에 밀려 사라지는데 불과 몇 십 년 걸리지 않은 것과 같은 이치다. 인간은 편하다고 느끼는 순간 그것을 탐닉하고 발전시키는데 주저함이 없다. 그렇게 전 세계로 퍼져나간 패스트푸드점들이 부드러운 식감과 달콤한 맛으로 전 세계인의 입맛을 사로잡았듯 지면이라는 전쟁터를 휴식과 유희의 장(場)으로 만들어준 우주인의 신기술은 빠르게 인류의 발을 잠식하게 되었고 인류의 발은 그것보다 더 빠른 속도로 신기술에 적응하기 시작했다.

패스트푸드와 러닝화는 평행이론이라고 해도 좋을 정도로 공통점이 많다. 비슷한 시기에 생겨나 비슷한 방식으로 인류에게 어필하고 비슷한 방식으로 인류의 생활에 익숙하게 자리 잡았으며 비슷한 부작용을 만들어내기 때문이다. 패스트푸드는 입에는 달지만 본래 인류의 소화기계에서 소화하기에는 너무나 부드럽다. 사실 절반 정도는 소화된 음식을 먹는 것이나 다름이 없기 때문에 소화기계에 여러 가지 감각 오류를 만들어내는데 훨씬 거친 분자 구조의 음식물을 소화하기 위해 발달한 인류의 소화기는 음식물에 맞추어 적당히 일을 덜하는 것이 아니라 일반적인 식사 속도보다 훨씬 빠른 속도의 식사 시간과 더 많은 음식물을 요구하게 된다. 자극적인 식재료와 조리법으로 전 세계적으로 비만을 확산시킨 일등 공신이 된 것은 말할 것도 없다.

러닝화에 장착된 쿠션은 지면을 인지하는 우리의 발에 부담감을 덜어준다. 이런 감각은 뇌에 편안함으로 인지가 되는데 이것은 마치 소화기에 부드러운 패스트푸드처럼 인류의 보행 패턴에 부드럽지만 치명적인 영향을 미친다. 수백만 년 전 쿠션 없는 맨발에 근거를 두고 만들어진 인류의 보행 패턴은 거의 한순간에 달라졌으며 신발 밑창이 없으면 잘 닦여진 길조차 맨발로 걷기 어려울 정도로 다리와 발바닥의 내구성이 망가져버린 것이다. 문제는 러닝화를 신고 걷거나 뛰었을 때 생기는 감각 오류다. 앞서 언급한 것과 마찬가지로 외부의 자극에 의해 패턴화되어 있는 인간의 감각은 자극의 강도가 약해졌다고 약하게 반응하지 않는다. 특히 인간의 뇌로 제어가 되지 않는 움직임 패턴은 더욱 그러하다. 본래 맨발로 지면을 '움켜 잡고' 걷게끔 되어 있는 인간은 지면에서 오는 각종 자극으로 자신의 보행 패턴과 몸의 구조를 세밀하게 변화시키며 보행하게끔 설계되어 있다. 쿠션 러닝화를 신고 걷게 되었을 때 이런 자극들은 대체적으로 축소되거나 획일화된다. 즉, 우리는 다양한 얼굴을 한 지면을 걷는 것이 아니라 하나의 표정을 하고 있는 쿠션 위를 걷게 되는 것이다.

아주 빠른 시간에 보급된 쿠션 운동화에 대하여 수백만 년간 아로새겨진 인류의 걷기 유전자는 아직 적응이 덜된 것 같다. 마치 패스트푸드에 우리의 소화기가 완벽하게 적응하지 못한 것처럼 말이다. 패스트푸드가 비만을 낳았다면 쿠션 운동화는 러너스 인저리Runner's Injury(달리기 관련 질환)로 대변되는, 기형적인 보행 패턴의 변화로 인한 통증을 낳게 되었다. 패스트푸드를 즐기는 사람들 모두 비만이 되는 것은 아닌 것처럼 쿠션 운동화를 신고 다니는 모든 사람이 걷고 달리는 것과 관련한 통증이나 질환을 앓는 것은 아니다. 다만, 비만 상승률처럼 러닝화 보급 이후에 러너스 인저리가 늘어나게 된 것은 통계적 사실이다. 사실 직립 인류의 관절 구조는 관절과 관절 사이에 체중과 중력의 몇 배나 되는 충격을 견뎌내게끔 이미 쿠션이 설치되어 있다. 척추관절 사이에 있는 추간판(디스크)이나 무릎 관절의 연골, 관절낭, 활막 같은 조직들이 그런 것들이다. 일반적인 걷기, 달리기 관련 질환들은 이런 관절들이 닳아 없어지거나 염증이 발생하면서 생긴다.

교통수단이 발달되기 이전에는 훨씬 먼 거리를 이동하거나 더 자주 걷거나 뛰어다니던 인류에게는 노화가 오지 않는 한 거의 나타나지 않았던 증상이 어째서 덜 걷고 뛰고 더 좋은 신발을 착용하고 이동하는데 늘어나게 된 것일까? 이와 관련된 의견들과 학술 논문들은 많지만 어떤 것이 맞고 어떤 것이 잘못되었다는 확실한 주장은 없다. 모두 가능성이 있는 주장들이기 때문이다.

그중 한 가지 의견은 아마도 몸속에 다른 관절이 하나 더 생기면서 생겨난 부작용이 아닐까하는 의견이다. 현대사회에서 신발 없이 생활한다는 것은 부자연스러운 것이 되었고 외출할 때는 반드시 신발을 신는다. 이쯤 되면 거의 신체 일부라고 해도 좋을 정도로 우리 몸과 가깝다고 봐도 되지 않을까. 몸에 쿠션 밑창이라는 관절이 하나 더 생긴 셈이다. 쿠션 운동화를 착용하고 걸으면 지면이 아니라 쿠션 위를 걷는 부자연스러움도 있겠지만 아마도 본래 인류가 갖고 있는 보행에는 적당한 관절의 충격 신호가 필요한 것은 아닐까 하는 의견이다. 이 신호의 발원지는 당연히 지면이 될 것이고 신호를 감지하여 각 관절에 인지시켜주는 역할을 발바닥이 하는 것이다. 그런데 어느 날부터 지면과 발바닥 사이에 신기술로 만들어진 완충제가 끼어들었고 충격 신호를 감지하는데 무뎌진 관절은 계속해서 발바닥에 신호를 요구하면서 평소보다 더 과도한 충격을 유도하는 방식으로 보행을 하고 발바닥은 발바닥대로 쿠션 때문에 일을 잘하지 못하게 된다는 의견이다. 실제로 발바닥의 족저근막과 관련된 질환은 과거보다 증가했고 평소에 느끼지 못하더라도 지압판 위에서 바로 서 있지 못할 정도로 족저근막이 굳어 있는 사람들이 증가하고 있다. 뿐만 아니라 몸의 균형과 관련이 많은 발가락의 움직임 역시 현저하게 떨어졌다. 쿠션 위에 운동화 속에 양말로 감싸진 발은 이중, 삼중으로 외부의 충격 신호를 감지할 수 있는 경로를 차단당한 상태로 생활하게 된다. 본래 활성화된 기능에 비하면 거의 마비된 상태로 생활하는 것이나 다름없지만 가장 큰 문제는 기능하지 않고 움직이지 않는 것을 '편안한' 상태로 인식하는 인류의 특성이다. 이런 기능 저하는 단순히 발의 문제로 끝나는 것이 아니라 몸 전체의 심각한 불균형이나 무릎과 고관절의 염증을 유발시키기도 한다.

안락함을 추구하는 인간의 특성 때문에 고통 받는 것은 인간뿐만이 아니다. 본래 육식동물이었으나 인간의 필요에 의해 잡식동물이 되었고 인간과 같은 공간에서 살아가야 하는 운명 때문에 인간의 문명병을 같이 앓고 있는 개가 그러하다. 본래 야생에서 살았다면 없었을 슬개골이나 골반 관련 질환들을 앓는 반려견의 비율이 높아지고 있다. 더 이상 흙이 아니라 거실 바닥과 소파, 침대처럼 인간과 생활공간을 같이 하면서 인간과 비슷한 보행 관련 질환을 앓게 된 것이다. 그들이 겪는 대부분의 아픔은 주인인 인간에게서 출발한다. 우주 기술로 만들어진 이기(利器)를 통해 바뀌어버린 지면을 대하는 방식 때문에 얻게 된 통증을 인간을 반려한다는 이유로 같이 당하고 있는 반려견을 보며 현재와 미래의 우리 모습을 반추하게 된다.

인류 최고의 발명

인류가 발명한 유무형의 가치 중 가장 위대한 것은 무엇일까? 문명이 존재하는 곳에는 번영을 위한 무수한 시도와 발명이 있었다. 특히 의식주와 관련된 것들이 눈에 띄고 전쟁과 관련된 것들이 단연 오랫동안 사랑받는 발명들이었다. 하나하나 열거하기에는 너무나 많은, 백과사전 분량의 인류의 '발명'이라는 영역에서 최고는 과연 무엇일까? 역사, 종교, 철학 같은 개념을 포함한 수많은 유무형의 발명이 어쩌면 이것 때문에 생겨났을지도 모를 근원적이고 원초적인 발명이 하나 있었으니 이것은 과연 무엇일까?

정답 : 사회화

견해에서 시작된 생각은 동일한 생각과 필요를 가진 또 다른 견해를 만나 집단을 이루고 개념을 잡아가고 실체화된다. 생존율과 번식률을 높이기 위해 군집(群集)에서 시작했을 원시공동체는 이해와 견해가 같은 집단들끼리 다른 그룹을 견제하고 지배하기 위해 끊임없이 유무형의 가치를 만들어 내고 확산한다. 이렇게 시작된 사회화는 이기(利器)를 만든 한 사람의 천재처럼 특정한 개인에 의해 창조된 것이 아니다. 그 자체가 살아 움직이는 생명체처럼 계속 변화하고 진화하는 현재진행형인 사회화는 그 안에 수많은 구성원들을 포함하고 있고 그 자체를 유지하기 위해 수많은 유무형의 이기를 양산하고 소화한다. 사회화를 유지하는 근본적인 수단은 정보의 교환이며 정보와 정보를 교환하는 방식은 트렌드가 있고 이와 잇몸 같은 관계다.

21세기를 이상적인 사회라고 볼 수는 없지만 빠르고 편리한 것만은 사실이다. 하나의 트렌드가 정보화되는 시간도 빨라지고 이 정보가 사회 속에서 교환되는 방식이 다양해졌고 그에 따라 속도 역시 빨라졌다. 불과 백 년도 아닌 오십 년 전과 비교해도 환상적으로 빨라졌다. 옆 마을에서 일어난 일을 알게 되는데도 수일이 걸렸는데 지구 반대편에서 일어나는 일도 거의 실시간으로 알게 되었으니 말이다. 정보의 교환과 공유가 전파의 속도와 같아지면서 많은 것들이 달라졌지만 우리가 사회화된 존재란 것과 교환되고 전파되는 정보 역시 공동체 안에서 소비되기 위한 것이라는 사실은 달라지지 않는다.

진짜 문제는 다른 곳에서 발생한다. 빠른 정보의 공유와 의사 결정은 마치 필름을 빠르게 돌려 영화를 보는 것처럼 체감 시간을 빠르게 만들었지만 그를 위해 인류가 발전시켜온 도구들과 그 도구들을 보급하고 소비하기 위해 만들어진 시장은 대가를 요구하기 시작했다. 20세기 산업, 근로화

224

인류 통증 연대기

되었던 사회에서 이제는 자동화, 개인화되는 정보 사회로 변화되었다. 자동차와 집단 근로로 대변되던 산업사회에서 자동차와 집단 근로에 더해 컴퓨터와 좌식 근무에, 현재 인류 문명의 꽃이라 할 수 있는 휴대폰과 개인용 휴대 PC로 사람을 마주하지 않고 모니터를 마주하고 생활하는 사회가 되었고 우리는 그 안에서 사회화한다. 심지어 E스포츠라는 것이 등장하여 몸을 움직이지 않고 즐기는 스포츠가 탄생했다. 이런 방향으로 사회가 발전하는 것을 멈출 수는 없다. 그렇기 때문에 앞으로 움직이는 일은 더 줄어들 것 같다. 이런 모바일 자동 사회화에서 우리의 움직임을 어떻게 받아들여야 할까? 편리함과 문화 정신도 중요하지만 무엇보다 튼튼한 육체 능력을 바탕으로 이 모든 것을 즐길 수 있어야 하지 않을까? 육체적으로는 역행이 필요하지만 역사는 미래를 향해 있고 미래의 우리 앞에 어떤 것이 기다리고 있는지 알 수 없다. 보편적인 진리의 왕은 죽음이고 대개 죽음의 과정에는 고통이 동반된다. 고통 앞에 즐거움은 없는 법이다. 우리가 파묻혀 생활하는 편리함이 몸을 병들게 한다는 것을 인지하고 알아야 할 때가 온 것이다.

현대인의 바벨탑,
휴대폰

구약성서 창세기에 나오는 바벨탑 이야기는 높고 거대한 탑을 쌓아 하늘에 닿고 싶어 했던 인간의 오만함에 신이 분노해 탑을 무너뜨리고 언어를 여럿으로 나누어 서로 의사소통이 되지 않게 하는 저주를 내려 서로를 오해하고 미워하게 만들었다고 묘사되어 있다. 현대인의 바벨탑은 각종 전자 장비나 모바일 기기들이고 신의 분노는 자연체에서 멀어지는 문명병인 것 같다. 현대에 인류의 몸 구조를 망가뜨리는 일등 공신은 앞서 언급한 바 있는 의자다. 의자의 편안함과 안락함은 나중에 몸이 좋지 않은 구조로 망가져 겪게 될 통증을 생각한다면 그야말로 예쁜 색깔의 '독사과'와 같다. 의자에 오래 앉아 있는 것만으로 몸의 구조적인 문제들이 발생하기 때문이다. 정확하게 말하면 등받이가 있는 의자에 기대어 앉을 때 문제가 생긴다. 앞서 이야기한 내용들이다.

편안하고 안락하다는 인지 오류만으로 꽤나 위협적이지만 더욱 위협적인 문제가 남아 있다. 편하고 안락하다는 사실마저도 잊게 만드는 무감각함이 바로 그것이다. 우리는 언제 자신의 상태에 무감각해질까? 여러 가지 상황이 있지만 집중력이 그다지 좋지 않은 사람마저도 집중할 수밖에 없게 만들고 오랫동안 의자 위에 사람을 붙잡아 둘 수 있는 힘을 가진 것은 뭐니 뭐니 해도 TV나 컴퓨터일 것이다. 인간이 가지고 있는 감각 중에서 시각에 의존하는 비율은 상상을 초월한다. 몸 전체를 제어한다고 해도 시각은 계속해서 변화하는 정보 앞에 예민하게 반응을 하고 TV나 모니터를 통해 송출되는 다양한 정보들은 시각의 좋은 먹잇감이 된다. 우리는 화려하고 멋진 것을 보면 "눈을 돌릴 수가 없다"라는 표현을 사용한다. TV 시청을 하든 모니터를 보고 일을 하든 눈을 다른 곳으로 돌리는데 굳은 결심이 필요한 것은 시각의 강렬함 때문이다. 그리고 시각은 집중하는 목표물을 향해 온몸을 이끌고 들어간다. 머리와 목, 어깨와 가슴근육 등 시각과 가까이 있는 몸의 구조물들이 먼저 변하는데 우리 몸의 구조는 머리의 위치에 큰 영향을 받고 목의 위치만 달라져도 전신이 변하는 나름 합리적인 구조를 가지고 있다. 이렇게 집중과 무감각함이라는 두 가지 상반된 상태를 유발하는 것이 시각이며 시각에 자극적인 모니터를 앞에 두고 의자에 앉아 있다면 더욱 빠르고 소리 없이 구조는 변하고 무너지게 될 것이다. 여기까지는 이미 우리가 아는 내용일 수도 있다. 그런데 그냥 의자에만 앉아 있는 것과 달리 TV를 시청하거나 컴퓨터 모니터를 보면서 오랜 시간 일어서지 않고 업무에 집중하면 이것 말고도 다른 문제가 생기게 된다.

시각은 뇌에 정보를 제공하는 가장 큰 공급원이며 뇌는 시각뿐 아니라 몸 전체를 통해 전달되는 자극을 해석하고 판단한다. 뇌를 컴퓨터에 비유하면 컴퓨터를 휴대폰 크기로 소형화하는데 가장 큰 걸림돌은 컴퓨터의 발열이다. 컴퓨터도 전자 제품이기 때문에 오랫동안 사용할 때 생기는 발열 현상을 해결하는 것이 매우 중요하다. 발열이 제대로 해결되지 않으면 그대로 전원이 꺼지기도 한다. 그래서 컴퓨터에서 가장 중요한 부품 중 하나가 냉각 팬이다. 컴퓨터로 인터넷을 하다가 인터넷 창이 줄지어서 뜨면 컴퓨터가 느려지거나 심지어 다운되기도 한다. 컴퓨터 중앙 연산 장치와 메모리가 처리할 수 있는 연산보다 인터넷 창 뜨는 것이 빠르거나 많아지면 그렇게 된다. 인간의 뇌도 그와 비슷하다. 머리의 뇌는 포도당을 에너지원으로 돌아가는 컴퓨터와 같다. 당분과 열량을 엄청나게 많이 소비하며 생각하고 고민하고 쓸수록 더 많이 소비하기 때문에 당연히 열도 발생한다. 일부 한의학계에서는 이러한 머리의 발열을 탈모의 원인으로 지목하기도 한다. 발열은 원래는 문제가 되어서는 안 된다. 자연스럽게 열이 분산되고 몸에서 빠져나가야 한다. 현대사회를 살아가는 사람들은 머리는 뜨거워지고 손발은 차가워진다. 본래 이런 현상은 노화 현상과 관련이 있지만 요즘은 나이와 상관없이 나타나는 듯하다. 병리학적인 이유라면 여러 가지가 있다. 그렇지 않다면 많이 띄워진 인터넷 창처럼 사고의 메모리를 차지하는 머리의 열이 제대로 냉각이 되지 않는 경우가 대부분이다. 간단히 생각해보면 열이 분산되기 위해서는 공기 순환(호흡)과 수분 섭취가 중요하다.

그러나 우리의 일상을 들여다보면 여러 가지 이유로 공기 순환(호흡)과 신선한 수분 섭취를 방해 받고 있다. 어쨌든 모두들 앉아서 모니터 들여다보느라 리프레쉬Refresh할 타이밍을 계속해서 뒤로 미루고 누적시킨다는 이야기다. 이러한 발열은 체온과는 반비례하는 경우가 많다. 정상적인 체온을 유지하는 것은 매우 중요하며 체온이 낮아지면 면역력도 떨어진다. 머리는 차갑고 봄과 손발이 따뜻해야 정상이다. 체온 1도가 인체에 미치는 영향은 크다. 기초대사량은 물론이고 면역력은 30~40% 이상 영향을 받는다. 염증도 없는데 머리의 발열이 생긴다는 것은 무언가에 집중해서 혈액이 몰렸다는 의미이고 이것이 계속되면 열이 적체될 것이다.

디스크 환자들을 치료하거나 수술하기 전에 적외선으로 다리 부분을 찍어보면 파란색으로 나타나는 것을 볼 수 있다. 파란색은 체온이 낮은 것을 의미한다. 디스크가 눌러서 신경 지배가 떨어지면 근육이 수축하는 힘이 떨어지기 때문에 혈액순환에 지장이 가고 해당 부위인 다리 온도가 떨어져 적외선 촬영을 하면 파란색으로 나타나는 것이다. 본인도 차가운 느낌과 뻣뻣한 통증을 호소하는데 극단적인 예를 들어본 것이고 공부하거나 업무를 보면서 장시간 모니터 앞에 앉아 있는 모습을 같은 방식으로 적외선 체열 촬영으로 분석해보면 머리는 빨갛게 손발은 차갑게 나올 것이다. 엉덩이 근육이나 하체의 근육처럼 혈액순환에 관여하는 근육의 긴장도가 혈액순환에 영향을 주며 수분 섭취와 배출도 영향을 준다. 수분만 섭취하고 배출을 하지 않는다면 열은 수분으로 식힐지 몰라도 수분의 적체이지 순환은 아니다. 이런 상태에서 자세의 정체로 인한 근막의 뭉침까지 생긴다면 더욱 빨리 굳고 더욱 빨리 통증이 생길 것이다. 집중해서 공부하고 업무를 보는 것은 좋지만 중간중간 움직이며 자세를 바꿔주고 기지개처럼 간단한 스트레칭도 안 하는 것보다는 하는 것이 머리를 식힌다는 의미에도 훨씬 좋을 것이다. 그러나 우리는 이것조차 어려워하기 때문에 점점 큰 문제를 만드는 것이다.

어찌 보면 몸의 발열 문제는 현대 바벨탑 저주의 시작 단계일지도 모른다. 책상에 앉아서 하는 모든 행위는 바벨탑을 오르기 위한 첫걸음에 불과하다. 시간이 흘러 또 다른 바벨탑이 등장했다. 구약성서에 등장하는 바벨탑이 거대했다면 21세기의 바벨탑은 손바닥만 하다. 바로 스마트 폰이다. 이 손바닥만 한 물건은 못하는 것이 없다. 첫 등장은 그저 신기한 장난감이었을지 몰라도 지금은 세상을 지배한다고 해도 과언이 아닌 요물이 되었다. 사람들은 앉아서도 서서도 걸으면서도 누워서도 스마트 폰을 들여다본다. 아침에 일어나서 보고 자기 전까지 보고 자다가 깨서도 보고 심지어 밥을 먹으면서도 본다. 유사 이래 이렇게 인간을 지배했던 도구가 있었을까? 온 방안을 꽉 채워야 할 도구들이 손바닥 위에 모두 채워져 있으니 그럴 만도 하다. 들고 다니기에 아무런 부담이 되지 않는 이 만화경의 장점은 '자유도'다. 문제는 이 스마트 폰의 자유도가 위험하다는 것이다. 오랜 시간 책상에 앉아 컴퓨터 혹은 공부를 하기보다 앉아서도 서서도 누워서도 스마트 폰을 들여다본다. 단순히 생각하면 가만히 앉아서 오랜 시간 있는 것보다는 좋지 않을까 싶지만 스마트 폰은 들여다보는 그 자세 그대로 우리를 멈추게 만든다. 그저 재미있는 것을 보여주는 것에서 끝나는 것이 아니라 사람들은 스마트 폰을 들여다보며 생각하고 생활하고 일하고 울고 웃는다. 게임이나 도박 같은 것에 중독되는 것을 이른바 행위 중독Behavioral Addiction 이라고 한다. 스마트 폰을 손에서 놓지 못하는 것 역시 이와 다르지 않다. 대면 관계를 통한 의사소통이나 대인관계에 어려움을 느끼거나, 가족 및 주변인들과의 소통에서 어려움을 느끼는 사회성 발달장애를 유발하는 것은 물론이고 거북목 증후군, 수면 장애도 보고된다. 어떤 자세를 오랫동안 유지하는 것은 자세 근육에 결코 좋지 않다. 근육의 인지적인 면은 말할 것도 없고 그로 인해 생기는 골격의 불균형은 통증과 직결되기 때문이다. 스마트 폰을 들고 고개를 숙여 들여다보는 자세는 의식적으로 해보면 결코 오랫동안 유지할 수 없는 자세다. 이와 같은 자세를 오랫동안 유지하는 것을 인지하지 못하게 만드는 중독성이야 말로 바벨탑을 향한 저주가 아닌가 싶다.

뇌가 인지하는 감각을 크기별로 만들어서 보여준 '호문쿨루스 모델'에서 시각은 몸 전체보다 더 크기 때문에 제한적 크기로 표현했다고 말한 적이 있다. 스마트 폰의 문제 중 하나는 인체의 가장 큰 인지 감각인 시각을 너무나 오랜 시간 동안 스마트 폰의 작은 화면에 고정시켜둔다는 것이다.

이것은 단순히 시각의 인지 능력이 떨어지는 것에서 끝나는 것이 아니라 몸 전체의 인지 능력에도 심각한 영향을 미친다. 마치 한 개의 블록이 쓰러지면 나머지 블록도 쓰러지는 도미노처럼 인지 능력이 떨어진 시각으로 시작해 다른 고유 수용성 감각기들의 인지 능력을 떨어뜨리는 도화선이 될 수 있다. 시각은 10분 이상 고정된 자세로 집중하면 자신과 가까운 관절부터 쥐어뜯기 시작한다. 시각과 가장 가까이 움직일 수 있는 관절은 목이다. 문제는 목이 떠받들고 있는 것이 머리라는 점이다. 머리의 위치는 목의 위치에 따라 달라지기 때문에 목이 시각을 따라가다 보면 오랜 시간 동안 머리의 무게가 중심에서 벗어나고 목과 목 주변의 근육들을 괴롭히기 시작한다. 가장 먼저 괴롭힘을 당하는 근육은 목을 감싸고 목을 움직이는 근육들일 것이다. 대표적인 근육인 흉쇄유돌근이 굳으면 두통을 유발하기도 하고 심한 경우 팔을 타고 내려오는 방사통을 유발하기 한다. 다음으로 괴롭힘 당하는 근육은 목을 받쳐주는 승모근의 상부인데 상부 승모근의 긴장은 어깨관절을 가슴 안쪽으로 말아 넣은 상태를 만들거나 과도하게 위쪽으로 끌어올린 상태를 만든다. 어깨관절처럼 운동성이 높은 관절들은 그와 연결된 가슴이나 허리 관절에도 영향을 미친다. 이런 식으로 시나브로 변형되고 뒤틀리는 관절은 어떤 임계점을 넘어가면 더 이상은 곤란하다는 신호를 보내는데 그 신호의 형태가 통증이다. 이런 근골격계나 신경계의 통증뿐 아니라 최근 들어 많이 늘어난 안구건조증 역시 오랜 시간 시각을 집중하면서 눈 깜빡임을 간과하여 충분한 수분 공급이 되지 않아 생긴 부작용이다. 시각으로 전달되는 정보는 뇌에 의해 분석되고 판단되는데 킬링타임용 영상이라고 해도 끊임없이 뇌에 공급되는 다른 형태의 데이터일 뿐이다. 뇌가 쉬지 못해 생기는 머리의 발열은 탈모나 두피 질환의 원인으로 지목되고 있다. 이렇듯 콘크리트 정글 속을 살아가는 우리들은 손바닥 위에 올려놓은 세상을 들여다보느라 돌처럼 굳어져 가고 있다. 스마트 폰이라는 바벨탑은 우리 몸을 서서히 돌덩어리로 만드는 메두사의 눈과 같다.

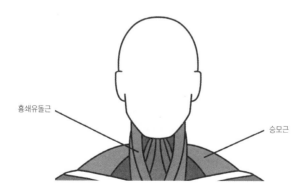

흉쇄유돌근

앉다

본래 인류에게 앉는 동작은 자연스럽지만 일종의 이벤트였다. 도구를 만들거나 사냥을 할 때나 몸을 은폐한다거나 용변을 본다거나 하는 특별한 용무가 있을 때 취하는 동작이었다. 앉는다는 동작은 서 있는 동작에 비해 오래 지속할 수 있는 동작은 아니었다. 인류가 직립으로 발달하면서 근골격의 자연스러운 형태는 신전된 자세였다. 앉는 동작은 굴근을 주로 쓰는 동작이기 때문에 특정 목적을 위한 자세가 되는 셈이다. 직립한 인류는 오랜 시간 걷고 뛰는 동작에 맞게 발달했기 때문에 오랫동안 앉아 있는 동작을 할 일은 생각보다 많지 않았다. 과거에도 현재에서 앉아 있는 동작은 인류 본연의 형태와는 조금 거리가 있다. 그런데 현대에 와서는 재미있는 일이 벌어졌다. 부자연스럽기 때문에 오랜 시간은 하기 힘들었던 앉기를 편하다고 착각하게 만드는 문명의 이기가 출현했기 때문이다. 의자라고 불리는 이 도구로 인해 인류의 일상은 완전하게 달라졌다. 오랜 시간 동안 앉아 있는 것이 자연스럽지 않고 불편한 신체 구조이기 때문에 하지 않앉던 앉기는 의자라는 미약에 취해 누구나 하는 자연스러운 행위가 되어버렸다. 그리고 현대인은 잊기 시작한다. 원래 앉아 있던 동물이 아니라 어쩌다 보니 앉는 동물이었다는 것을. 다리가 퇴화되고 체형이 변하고 뱃살이 늘어날 이유는 충분해졌다.

기왕 이렇게 된 거 우리가 의자에서 벗어나기 힘들어졌다면 잘 견디는 방법과 개념에 대해서 알아야 한다. 앉는 자세에서 가장 중요한 것은 머리의 위치다.

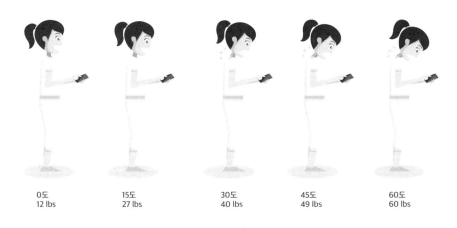

| 0도 | 15도 | 30도 | 45도 | 60도 |
| 12 lbs | 27 lbs | 40 lbs | 49 lbs | 60 lbs |

머리 위치에 따른 압력의 변화

그림은 머리의 위치에 따른 압력의 변화다. 머리의 위치가 어떻게 되느냐에 따라 경추와 척추에서 받는 압력은 이렇게 늘어난다. 그리고 장시간 의자에 앉은 상태로 방치된다. 이런 상황에서 체형이 틀어지거나 변화가 없다면 오히려 말이 안 된다. 그렇다면 머리가 무조건 똑바로 있어야 하는 것일까? 어느 정도는 움직여도 괜찮다. 그 움직임이 앉은 상태의 센터 오브 그래비티 C.O.G. 안에서 잘 버텨준다면 말이다.

의자에 앉은 자세에서 엉덩이로 체중을 지지하며 중심을 잡고 무게를 분산시켜 주는 부분은 좌골과 의자에 닿는 허벅지 뒷면이다. 머리의 위치는 체형에 따라 조금 차이는 있지만 그 범위 안에서 벗어나지 않도록 조절해주고 경추와 척추의 만곡을 자연스럽게 살려주는 것이 중요하다. 여기에 사람마다 가지고 있는 미세한 불균형의 틈을 대체시켜주는 것은 기본적인 근력이다. 좋은 자세는 등과 허리는 좀 불편해도(익숙해지면 나아지겠지만) 목은 확실히 편안해진다.

나쁜 자세는 등과 허리가 체중을 분산시키는 역할을 하지 않고 의자의 등받이가 체중을 받쳐서 자세를 만들기 때문에 목만 머리를 떠받들고 있는 형태다. 편안하다고 느껴지는 것은 당연히 나쁜 자세다. 머리의 운동 중추는 등과 허리의 근육과 신경이 무게를 분산시켜 자세를 만들기 위해 일할 때보다는 머리나 목만 일할 때가 더 편하다고 느낀다. 간단하게 말해 사용하는 근육이 줄어들기 때문이다. 그래서 기본적인 등의 근력과 복압이 안정적인 상태에서 목과 머리의 C.O.G.만 지켜진다면 약간 삐딱하거나 불균형한 자세라도 심각한 통증을 느끼는 상황으로 발전하지는 않는다. 머리의 위치와 목, 등 근육에 있어서 매우 중요한 역할을 하는 근육이 하나 더 있는데 바로 승모근[7]이다. 어려운 해부학 책을 들여다보지 않아도 등과 목 사이에 승모근이 있고 목 근육과 연결되어 있다는 것은 금방 알 수 있다.

승모근을 의자에 앉아 있는 상태에서 그저 목을 도와주는 근육 정도로 오해할 수 있지만 승모근의 분포가 어디에서 어디까지인지 알게 된다면 이 역삼각형 모양 근육의 컨디션에 따라 앉는 자세에 미치는 영향력이 보일 것이다. 일반인들도 열심히 운동하면 운동선수 같은 근육을 만들 수 있다. 겉모양을 비교해 보았을 때 운동선수와 일반인의 가장 큰 차이가 바로 승모근이다. 교통사고 후 흔히 나타나는 증상 중에서 '편타증 손상'이 있다. 편타증 손상(채찍질 손상) 일명 경추부 염좌, 즉 목이 심하게 뒤로 젖혀졌다가 앞으로 굴곡(굽어진 상태)되며 염좌가 생기는 경우를 말한다. 이 증상은 남성에 비해 여성에게 자주 나타나는데 기본적으로 남성에 비해 여성들이 덜 발달된 근육이기 때문이다. 주변에 유도선수나 레슬러들의 교통사고 후기를 들어 보면 차량이 반파되는 큰 사고가 나도 몸이 멀쩡하거나 후유증이 덜하거나 없는 경우가 많다. 무용담처럼 운동을 해서 그런 것 같다고 자랑을 하곤 하지만 아마도 일반인들보다 훨씬 더 발달한 승모근이 충격을 잘 버텨주어서 그런 것이 아닐까 예상해본다. 교통사고는 톤(TON) 단위의 충격파가 몸을 지나가는 것이기 때문에 반드시 신체적으로 약한 부분에 문제가 생기기 마련이다. 당연히 근육이 적고 내구성이 약한 여성들이 불리하며 통증을 더 많이 호소한다. 각자의 약한 부분은 다르지만 아무래도 머리 무게가 걸리는 목뒤가 충격을 많이 받는다. 교통사고라는 다소 극단적인 상황을 설정해서 설명했지만 이처럼 승모근은 목의 안정성과 관련이 많은 근육이다. 다시 한 번 승모근의 모양을 살펴보면 단독으로 움직여서 어떤 기능을 하는 근육이라기보다는 여기저기 다양한 부분과 연결되어 있는 근육이라는 것을 알 수 있다. 목 근육과 직접 연결되어 있기 때문에 머리의 위치와도 밀접한 관련이 있고, 경추와 흉요추의 위치, 견갑골 위치와도 연결이 되어 있고 흉추 12번과도 연결되어 있어 허리에도 영향을 준다. 그렇기 때문에 잘못된 자세로 사용하면 통증유발점이나 경련이 생겨서 이완이 잘되지 않는 근육 중 하나인데 연관된 움직임이 하나가 아니라서 그렇다. 이 움직임 관련해서 교정하거나 운동을 시켜도 저 움직임의 문제가 남아 있으면 뭉친 것이 남아 있거나 잘 풀리지 않는다. 승모근이 충분하면 목과 어깨의 안정성도 좋아지는데 신경계 환자 중에 뇌졸중으로 승모근이 제 기능을 못하면 어깨는 물론이고 목과 등도 제 기능을 못하게 되어 보행이 이상해지는 경우도 종종 생긴다.

인류 통증 연대기

의자

　　근골격계의 통증을 호소하는 사람들에게 재미있는 질문을 받은 적이 있었다. 대개 사고를 당하지 않으면 기능 이상으로 통증이 생기는 경우가 대부분인데 움직이지 않고 가만히 있었는데 왜 이상이 생겼냐고 하는 질문이다. 무언가 그럴 듯하지만 사람의 몸은 직립이라는 것부터 불안정한 구조이기 때문에 움직이지 않는다는 것은 불안정한 구조를 고수하겠다는 것과 다름이 없다. 계속해서 바른 구조를 유지하기 위해서는 움직여야만 한다. 상어는 부레가 없는 대표적인 경골어류다. 부레가 없는 상어는 살기 위해 계속해서 움직여야 한다. 어쩌면 인류는 부레가 없는 경골어류 비슷한 포유류일지도 모른다.

　　그런 의미에서 의자(椅子)라고 하는 이기(利器)의 발명을 어떤 의미로 받아들여야 할지 모르겠다. 의자는 오랜 역사를 갖고 있다. 고대 이집트에도 있었고 그리스, 로마는 물론이고 중국에도 있었다. 중국은 7세기 이후 북방 유목민들에 의해 의자가 전해져 당나라 때부터 의자를 사용하기 시작했다. 16세기 이전까지 의자는 실용적인 목적보다는 존엄과 위엄을 보여주기 위해 사용되었다. 그렇기 때문에 팔걸이와 등받이가 있는 의자는 왕족이나 귀족, 성직자들만이 사용하던 것이었고 그 외에는 팔걸이와 등받이가 없는 형태인 스툴Stool이 일반적이었다. 20세기에 들어서 의자를 만드는 기술이 발달되고 대량으로 생산되며 인체 공학적 의자 등이 등장했지만 그중 인류의 통증과 관계가 깊은 것은 안락의자라고 하는 것들이었다. 현재 가장 많은 문제를 만들어내는 의자는 뭐니 뭐니 해도 소파와 일명 게임방 의자라고 불리는 사무용 의자다.

이 의자들이 가정과 사무실에 보급되는 이유에는 텔레비전과 컴퓨터의 등장이 한몫을 하였다. 소파와 텔레비전은 마치 패스트푸드 세트 메뉴와 같다. 안방에 텔레비전이 있던 시대만 해도 우리는 방바닥에 앉아 시청을 해야 했고 장시간 앉아서 화면을 보는 것은 쉬운 일이 아니었다. 앉아서도 보고 누워서도 보고 엎드려서도 보았던 이유는 한 자세를 지속적으로 유지하는 것이 불편했기 때문이다. 정확하게 말하면 불편하다고 느끼기 때문이다. 지금 우리의 거실에 놓여 있는 소파와 텔레비전을 보도록 하자. 소파에 앉으면 몇 시간이고 움직이지 않고 동일한 자세로 텔레비전을 시청하는 것이 가능해진다. 간단한 음식 정도는 일어서지 않고 소파에 앉아서 해결도 가능할 정도다. 사무용 의자도 마찬가지다. 컴퓨터로 업무를 보는 시대에 사무용 의자와 컴퓨터는 소파와 텔레비전의 관계와 같다. 몇 시간이고 컴퓨터 앞에 앉아서 업무를 보는 것이 가능해진 것이다. 소파와 사무용 의자는 일종의 안락의자다. 이 의자에 앉으면 몸이 포근하게 파묻히는 느낌을 받는다. 이 안락한 느낌의 정체는 앉아 있는 상태를 지속시켜주는 근육들의 'OFF'다. 이것이 움직이지 않는데도 불구하고 통증과 만나게 되는 출발점이다. 활성화가 잘되어 있는 것과 긴장하고 있는 것은 본질적으로 다르다. 근육은 하나의 근육으로는 아무것도 하지 못한다는 것을 우리는 앞서 배웠다. 앉아있거나 서 있거나 그 동작과 자세를 만들어내는 근육들은 밀어주고 당겨주면서 서로 인지해야 한다. 한쪽에서는 열심히 밀고 있는데 한쪽에서 받아주지 못하거나 당겨주지 못하면 밀어주는 한쪽에서만 열심히 일을 하게 될 것이다. 이것이 바로 긴장 상태를 유발하고 긴장 상태가 지속되면 그 끝에는 통증이 기다리고 있다.

의자에 파묻히면 몇몇 근육들의 활성화 버튼이 꺼진다. 일을 하지 않아도 의자가 대신 자세를 유지하도록 해주기 때문이다. 그리고 움직이는 방법과 버티는 방법을 점점 잊어버린다. 근육 스스로 인지하는 법을 잊어버리는 것에서 끝나는 것이 아니다. 의자에 파묻혀 텔레비전을 시청하거나 컴퓨터를 보며 업무를 보면 시각은 머리를 텔레비전과 모니터로 점점 끌어당긴다. 머리와 목이 전면을 향해 전진할수록 목을 받쳐주는 승모근의 압박은 점점 더 심해진다. 목과 머리의 안정성에 기여하는 근육인 승모근의 형태가 좋지 않은 긴장을 유발하는 자세로 변형되어 굳어지면 몸 전체의 나머지 구조도 좋지 않은 방향으로 가는 속도가 빨라진다. 든든하게 목과 머리를 응원해주던 근육이 그 든든함 그대로 원래 형태로 돌아오는 것을 못하도록 방어하는 것이다. 아군이 적군으로 돌아서는 순간이며 몸으로 쓰는 배신의 역사가 시작된다. 그런데 움직이지 않는 것은 이 정도 문제에서 그치지 않는다는 것이 진짜 문제다. 조금 더 심각한 문제를 만들어내는 사례도 존재하기 때문이다. 대표적인 것이 앞서 이야기한 욕창과 같은 질환이다.

우리는 앉아 있거나 누워 있어도 몸의 피부, 근육, 근막이 중력에 대한 직립성과 정렬을 잃어버리고 계속해서 뼈를 밀어내는 비스듬한 자세를 취하곤 한다. 앞서 언급했듯 이유는 간단하다. 뇌에서 이런 것을 '편하다'라고 인지하기 때문이다. 허무할 정도로 간단한 이유다. 평소 인지하지 못하는 자연스러운 일상 동작들도 그냥 되는 것은 아무것도 없다. 무의식중에 운동 중추가 계속 균형을 잡아가며 자세와 중력을 조절하고 몸의 고유 수용성 감각도 뇌와 중추 신경 사이에서 무수히 많은 정보를 주고받으며 피드백을 하고 있다. 이런 복잡한 프로세서를 절반 이상 하지 않으면 매우 편할 것이다. 푹신한 소파나 침대에 파묻히면 편하고 잠이 오는 것은 그런 이유 때문이다. 최대한 기대어서 몸이 닿는 면적을 크게 하면 그만큼 자세를 유지하는 근육들과 그것들을 조절하는 뇌와 신경은 일을 하지 않아도 된다. 자동화된 공장 생산 라인에 과정 A-B-C-D라는 공정 과정이 있는데 B와 C에 해당하는 기계를 꺼버렸다고 가정해보자. 전력을 아낄 수도 있고 그 파트의 인력들은 쉴 수 있겠지만 제대로 된 공정을 할 수 없을 것이고 제대로 된 물건을 만들어낼 수도 없을 것이다. 의자에 앉는 것은 아무런 문제가 없다. 그러나 의자에 앉아 움직임이 정지된 상태를 지속한다는 것은 단순히 자세 문제에서 끝나는 것이 아니다.

정지된 자세 – 의자, 침대와 같은 구조물에 근육이 의존하여 중력을 분산시킴 –

고유 수용성 감각 OFF – 자세 근육 OFF – 임파선 체액 순환 정체 –

혈액순환 정체 – 심장 기능 약화 – 각종 합병증

다소 극단적으로 보일 수도 있지만 실제로 저런 이유로 심혈관계 질환이나 각종 합병증이 과거에 비해 비약적으로 늘어나고 있다. 위에 열거한 순환 과정 속에 골격도 제 위치에서 어긋난다. 의자에 기대어 늘어지는 자세에 맞춰서 변하며 이것을 교정하는데 시간과 돈이 들어간다. 지면이라는 구조물에 모든 감각과 근육을 내맡기고 늘어지는 것이 '수면'이다. 앞서 언급한 대로라면 구조상으로 의자에 기대어 앉아 있는 것과 지면에 온몸을 기대고 누워 있는 것은 동일하기 때문에 같은 문제가 발생해야 하지만 '적당한'이라는 전제 아래 휴식의 영역이며 단순하게 몸의 구조에만 국한해서 생각할 수 있는 문제가 아니다. 물리치료사들에게 "중력은 최고의 치료사다"라는 금언이 있다. 중력은 느껴지지는 않지만 미묘하게 틀어지고 어긋난 신체를 천천히 제자리로 돌려놓는 힘이 있다. 이런 효과를 위한 조건이 하나 있는데 그것은 궁극의 휴식인 질 좋은 수면이다. 수면을 위해 지면에 누워 있는 것은 일부 자세 유지근을 움직이지 않는 것이 아니라 모든 근육을 이완시키는 행위다. 여기에는 감각 기관을 통해 주변 상황이나 사물을 인지하고 해석하고 분석하고 반응하는 모든 프로세서가 OFF되어야 한다. 곧 무의식 상태가 전제가 되어야 한다. 그래서 수면은 휴식이며 의식이 있는 상태에서 의자에 앉아 있거나 바르지 않은 자세로 의자에 기대어 수면을 취하는 것과는 다르다. 문제는 자고나서 일상적인 시간에도 늘어져 있는 것이다. 이것은 의자나 자세의 문제가 아닌 정신적인 문제지만 모든 책임은 신체가 짊어져야 한다. 몸은 굳어갈 것이고 결국 기분 나쁜 통증들과 만나게 될 것이다.

인류는 역사적으로 이렇게 편한 의자에서 생활해본 적이 거의 없었다고 해도 과언이 아니다. 과거에도 의자는 존재했지만 이렇게 안락하게 몸을 망가뜨려주는 형태의 이기는 아니었고 이렇게 범인류적이지 않았다. 달콤한 것은 나쁘지만 빠르게 중독되고 탐닉하게 된다. 액상과당이 그렇고 단당류, 녹말류가 그렇고 의자가 그렇다. 이런 면에서 출퇴근길 러시아워에 대중교통 의자 쟁탈전을 보면 약간 오싹해진다. 식탁에서 달콤한 것을 탐닉하는 우리들의 모습이 오버랩된다. 만성적이며 범인류적인 통증에서 벗어나기 위해서는 조금이라도 의자에서 일어서서 자신을 성찰해보는 시간을 갖기를 권한다.

로마의 타락

팍스 로마나Pax Romana는 로마제국이 오랜 평화를 누렸던 번성기인 1세기와 2세기경을 말한다. 초대 황제인 아우구스투스가 통치하던 시기부터 시작되었기 때문에 '아우구스투스의 평화Pax Augusta'로 부르기도 한다. 아울러 팍스 로마나로 일컬어지는 강력한 로마의 우산 아래 이루어진 평화는 물질적 풍요를 가져와 우리가 알고 있는 로마제국의 사치와 향락의 전형적인 이미지를 만들어내기도 했다. 로마 귀족들의 파티 문화에 대한 기록들을 살펴보면 중국 하(夏)나라의 주지육림과 함께 역사적으로 사치와 향락의 끝을 보여준다. 이런 시대에는 공통적으로 발달하는 문화가 있는데 요리와 목욕, 그리고 매춘이다. 로마 전체가 욕망의 만찬장이라고 해도 과언이 아니었으며 특히 음식을 더 먹고 즐기기 위해 먹은 음식을 공작의 깃털로 게워내어 먹고 또 먹었던 행위는 현대 사람들에게도 익히 알려진 일화다. 실제로 만찬장에서 음식을 토하는 행위는 무례한 짓이 아니었다고 한다. 콜로세움와 전차 경기장으로 대변되는 스포츠 유희에 직업적으로 돈을 걸고 도박을 하는 사람들이 넘쳐났고 극에 달한 제국의 번영으로 그 구성원들은 풍부한 먹을거리와 즐길거리에 뒤덮여 서로마제국이 멸망할 당시 로마의 휴일은 365일 중 176일이나 되었다고 한다. 역사에 기록되어 있는 풍요로운 과잉의 시대에 대한 이야기다.

팍스 로마나는 종종 강대국들의 폭력적인 영향력으로 발생하는 가짜 평화로움을 일컫는 말로도 사용된다. 가짜 평화로움은 강한 세력에 의해 일견 견고해보이고 문제없어 보이지만 실상 이런 시대의 종말을 들여다보면 여러 가지 문제들이 존재하고 있다. 특히 과도한 공급은 사람들의 의식과 몸을 쾌락으로 잠식시키고 마비시킨다. 현대 서구 사회와 서구화(化)된 국가들의 과잉 공급을 보고 있으면 과거 로마의 번영과 비슷한 모양새를 하고 있다. 그것은 꽤 두려운 일로 역사가 반복된다는 확률에 의한 두려움일 것이다. 누구나에게 일상화된 문화는 종종 집단 이성을 마비시키곤 한다. 현대의 과잉을 보면 소수의 각성에 귀를 기울여야 할 때가 온 것은 아닌가 하는 생각이 든다.

요리

생존과 관련해 인간을 제외한 동물은 하지 않는 것이 있다. 그중 가장 특이한 것이 바로 요리가 아닐까 싶다. 먹지 않는 동물은 없다. 미생물부터 고래까지 먹지 않고 생존하는 동물은 없다. 그러나 배가 부른데도 더 먹는 동물은 인간뿐이다. 다른 동물들과 비교했을 때 동물로서의 일반성이 아닌 특이한 점이다. 동물들은 먹이가 가진 식감과 영양을 있는 그대로 섭취하게끔 소화기가 발달되어 있다. 육식동물은 방금까지 살아 있던 다른 동물의 피와 살을 그대로 섭취하게끔 발달되었고 초식동물은 거친 섬유 조직이 살아 있는 식물을 섭취하고 소화해내기 위해 육식동물에 비해 긴 창자를 갖게 되었고 소 같은 동물은 위가 무려 네 개나 되어 되새김질까지 한다. 돼지나 곰 같은 잡식동물들은 육식과 채식을 가리지 않는다. 그렇다면 인간은 어떤 식이성향을 가진 동물일까? 인간의 소화기는 잡식성 동물이라고 말해주고 있다. 정확하게 말하면 육식성에 가까운 잡식동물이다. 그런데 한 가지 특이한 것이 있다. 육식성에 가까운 식이성향이지만 기본적으로 잡식성이기 때문에 가열하고 익힌 채소뿐 아니라 생으로 섭취하는 채소도 소화되게끔 만들어진 인간의 소화기가 가장 좋아 하는 음식은 바로 '생고기'가 아닌 '불에 익힌 고기'인 것이다. 인간의 소화기는 불에 익힌 고기를 소화하는데 적합하게 발달된 잡식동물이라고 말해주고 있다. 화식(火食)을 요리의 기원으로 볼 것인가 아닌가는 아직도 논란이 많다. 아마도 어느 범주까지를 요리라고 정의 내리느냐에 따라 달라질 수 있는 문제지만 불로 가열하여 음식을 만드는 것이 현생 인류를 만드는 데 많은 영향을 미친 것은 사실이다. 불에 익히면 음식을 통해 세균에 감염될 확률도 낮아지고 음식의 맛도 좋아지며 섭취할 수 있는 열량도 늘어난다. 불의 발견과 활용은 생물학적인 인간사에 있어서 인간을 동물과 구분 짓는 매우 중요한 사건이었다. 그리스신화에서 인간에게 불을 훔쳐다 준 프로메테우스를 인간의 아버지라고 부르는 것도 이유가 있는 것이다. 불에 익힌 고기는 고대도 지금도 인간에게는 최고의 음식이고 생고기나 섬유질에 비해 소화흡수가 잘된다. 일부 학자들은 불에 익힌 고기를 섭취하면서 소장의 길이가 줄어들고 뇌적 용량이 늘어났다고 주장하기도 한다.

요리의 기원은 어쩌면 인류에게 생존의 문제였을 수도 있다. 인간을 비롯한 모든 동물들의 소화기는 각자 자신에게 적합한 먹이를 취사 선택하는 것 같지만 자연은 생각보다 호락호락하지 않다. 굶어죽지 않으려면 어떤 것이든 일단 먹어야 하는 장면이 오히려 자연의 법칙에 어울릴지도 모른다. 적자생존의 자연환경에서 생존율을 높이기 위한 각 개체들의 학습능력

중 호모사피엔스는 단연 독보적이었을 것이다. 도구로서 불의 발견은 음식을 익혀서 섭취한다는 방법과 연결되어 먹이를 날것으로 섭취했을 때 소화기관의 한계와 부담, 그리고 각종 세균 감염의 가능성을 낮출 수 있게 해주었을 것이다. 먹이가 가지고 있는 영양분 파괴를 최소화하고 소화시키기에 알맞은 형태로 식재료를 가공하는 것이야말로 원시적인 형태의 요리였을 것이다. 이후 문명과 함께 생겨난 요리들은 문명의 일부이자 일종의 문화가 된다. 이제부터 요리의 목적은 세분화되기 시작하지만 궁극의 목적은 역시 더 먹기 좋은 느낌, 즉 맛있는 것이 목적이 된다. 특히 선진문명으로 갈수록 조금이라도 더 맛있는 요리를 만들기 위한 기술들이 발달한다. 팍스 로마나 시절의 로마제국을 타락으로 이끈 요리에 대한 기록을 보면 참으로 기상천외하다. 배를 갈라 내장을 빼고 고기와 과일을 채운 다음 공작 깃털과 양귀비 씨에 굴려 구운 산쥐 바비큐 요리나 신선한 굴을 아프리카에서 잡아온 플라밍고(홍학)의 고기에 곁들여 먹는 요리들은 기록으로 남아있을 뿐 현재는 먹지 않는 요리들이다. 내용만 보더라도 얼마나 휘황찬란한 요리를 만들기 위해 노력했는지 알 수 있을 정도다. 가까이는 중국의 다양한 요리들을 보면 알 수 있다. 이처럼 요리라고 하는 것은 생존에서 시작해 문화로 승화되어 그 시대의 타락의 척도가 되기도 한다.

호화로운 요리만이 타락의 척도가 되는 것은 아닌 시대가 되었다. 요리라고 하는 것은 환경과 지역적인 특성이 매우 중요한 요소로 작용한다. 특정 지역에서 그런 종류의 요리들이 발달한 것은 그럴만한 이유가 있기 때문이다. 그러나 지금은 환경적이며 지역적인 특성만이 이유인 시대가 아니다. 세계화에 가장 성공한 요리는 미국의 패스트푸드다. 전 세계에서 같은 요리를 먹을 수 있고 다국적기업인 패스트푸드 회사는 요리로 어마어마한 수익을 창출하고 있다. 외식 사업은 황금 알을 낳는 거위가 되었으며 각종 매체에서는 맛집과 음식에 대한 정보가 넘치고 있다. 넘치는 공급에 우리는 과거 로마제국의 귀족들처럼 공작의 깃털로 음식을 토하면서 즐기지는 않지만 미각을 자극하는 다양한 음식들의 홍수를 즐기며 살고 있다. 간편하게 맛있게 먹을 수 있는 요리가 많아졌고 우리는 더 이상 굶지 않는 시대에 살고 있으며 새로운 요리들이 쏟아져 나온다.

영양의 과잉 공급은 과거에는 과식에 의해 이루어졌지만 이제는 질량에 비해 고열량의 음식들도 한몫하고 있다. 운동량을 기준으로 소모되는 음식물의 열량은 비례하는 것이고 그만한 열량이 공급되지 않으면 몸은 신체 능력을 저하시켜 버린다. 이는 인류가 생물학적으로 터득한 생존 시스템이며 에너지가 부족하면 불필요한 신체 활동을 줄여서 활동량을 유지하는 방식이다. 운동선수들의 식사량은 엄청나다. 수영선수 마이클 펠프스나 복싱선수 매니 파퀴아오 같은 선수들은 하루에 8,000~10,000 칼로리 정도를 섭취하며 일반인의 네 배에 가까운 열량을 섭취한다고 알려져 있다. 이 엄청난 열량은 일반인들의 평균에 비교해서 엄청난 것이지 그들에게는 당연한 섭취량인 것이다. 그러나 운동량이 그에 미치지 못하는 우리가 매일 그렇게 먹는다면 각종 질병과 만나게 될 것이다.

그럼에도 불구하고 우리는 왜 자꾸 과다한 섭취를 하는 것일까? 로마 시대의 만찬장과 우리 시대의 식탁은 분명 다른 의미가 있다. 물질적 풍요에 기반을 두고 있다는 것은 같지만 로마에 비해 지금은 더 복잡하고 다른 이유들이 존재한다. 당시의 섭식이 부의 과시에 가까운 의미를 가지고 있었다면 지금은 음식의 맛 자체를 탐닉하는 것에 가까워졌다. 데이비드 케슬러David Kessler 박사의 저서 〈과식의 종말The End of Overeating〉에서는 당류, 지방, 소금을 지목한다. 이 세 가지는 인류의 섭식 역사에서 지금처럼 풍요로운 적이 없던 요소들이다. 언제나 귀하고 부족하던 세 가지 요소는 물질적으로 풍요로운 시대를 맞이하며 맛의 삼위일체를 만들어내는데 이들의 절묘한 조합은 미각에서 끝나는 것이 아니라 뇌의 쾌감 중추를 극대화시켜 계속해서 이 조합을 요구하게 만든다는 것이다. 쾌감 중추를 자극한다는 것은 미각과 음식을 섭취하여 느끼는 포만감과는 다른 영역을 자극한다는 뜻이 된다. 쾌감 중추가 자극을 받고 뇌에 자극의 원인이 되는 음식을 전달하는 것은 미각이다. 여기서 맛있어서 먹는 건지 뇌의 쾌감 중추를 만족시키기 위해 먹는 건지에 대한 착각이 생긴다. 음식으로 받은 자극은 뇌에 각인되고 음식을 보지 않고 생각만 해도 자극을 받고 음식이 눈앞에 나타나면 모두 먹어치울 때까지 멈출 수 없다. 누구나 겪을 수 있는 흔한 사례다. 우연히 먹어본 음식이나 간식의 맛이나 식감이 좋아서 자주 찾게 되는 것도 일종의 가벼운 음식 중독이다.

데이비드 J. 린든David J. Linden의 저서 〈고삐 풀린 뇌The compass of pleasure〉에 흥미로운 쾌락 중추에 대한 실험 이야기가 있다. 1953년 캐나다 몬트리올에서 피터 밀너Peter Milner와 제임스 올즈James Olds는 수면과 각성 주기를 조절한다는 '중뇌망상계'에 대한 실험을 하고 있었다. 실험용 쥐의 뇌에 전극을 이식하고 전기 자극을 주는 실험이었는데 이식된 전극의 위치가 조금 벗어난 실수를 하게 되었다. 실험 쥐들이 보인 반응은 예상과 매우 다른 방향이었고 쥐들이 보인 이상 반응에 흥미를 느낀 두 학자는 지렛대를 누르면 실수로 벗어난 위치의 뇌 부분에 전기 자극을 줄 수 있는 장치를 만들어 실험을 계속했다. 그리고 놀라운 실험 결과를 보게 된다. 쥐들이 자신의 뇌에 전기 자극을 주기 위해 시간당 무려 7,000번이나 지렛대를 눌러댔던 것이다. 쥐들이 자극을 받은 부분은 바로 쾌감 중추이자 보상 회로였고 그 자극은 자연계에 존재하는 그 어떤 자극보다 강렬했던 것이다. 쥐들은 물과 먹이보다 쾌감 중추를 자극하는 전기 신호를 더 좋아했고 수컷들은 발정기의 암컷을 무시하고 지렛대를 탐닉했고 암컷들은 갓 태어난 새끼들을 내팽개치고 지렛대를 탐닉했다. 어떤 쥐들은 시간당 평균 2,000번씩, 무려 24시간 동안 아무것도 하지 않고 지렛대를 눌러댔다. 쥐들이 굶어죽는 것을 막기 위해 실험을 중단했을 정도라고 한다. 쥐들은 쾌감 중추를 자극받은 것 이외의 모든 것을 거부하였던 것이다. 쾌감 중추에 받는 자극의 중독성에 대해서 잘 설명해주는 일화다.

음식 중독이라는 표현이 과하지 않은 것이 현재 우리가 먹는 거의 대부분의 음식들은 당류와 지방, 소금으로 이루어져 있으며 일상적으로 쾌락 중추를 자극하는 형태다. 가장 큰 문제는 의존성과 통제력 상실이다. 음식이 입속으로 들어와 미각을 통해 뇌의 쾌락 중추를 '강하게' 자극하고 식사로서의 적당한 양을 채우고도 멈출 수 없고 이것을 반복하게 된다. 각종 섭식 장애가 심리적인 문제와 맞닿아 있는 것도 뇌의 자극과 무관하지 않을 것이다. 이런 반응들이 반복되면서 습관으로 자리 잡고 이 습관은 음식 조절 능력과 에너지 대사 작용을 망가뜨린다. 그 끝에는 비만이라는 또 다른 시작이 기다리고 있다.

비만

역사적으로 인류에게 평균 이상의 체중이 심각한 문제가 된 적은 없었다. 역사 시대 이전인 선사시대부터 주거 환경에 따라 반복적인 기근이 생겨났고 이런 혹독함은 자연이 인류를 자연도태시켜 개체 수를 유지해주는 조절 장치였다. 인류에게는 다른 동물들과 마찬가지로 오랜 시간 동안 자연이 주는 혹독함에서 살아남기 위해 형성된 유전적, 문화적 특질이 생겨났는데 이런 특질들 대부분은 현대의 물질적 풍요와는 맞지 않는 것들이 많다. WHO(세계보건기구)에 따르면 1975년 이래 비만 인구는 거의 세 배가 증가했으며 'OECD 보건통계 2018' 주요 지표 분석 결과 한국의 비만율은 34.5%로 74.2%인 칠레와 71%인 미국의 절반 수준이다. 야생의 인류는 하루 종일 뛰어다니며 반나절 이상 굶은 채로 지냈으며 당시 자연계에서 섭취할 수 있는 모든 먹이는 가공하지 않는 거친 날것이었다. 지금 우리가 일상적으로 섭취하고 있는 지방과 설탕, 소금 등은 너무나 구하기 어려웠던 것들이기 때문에 우리 몸에서 이런 것들을 대하는 생리적인 반응은 매우 소극적일 수밖에 없다. 원래 충분하지 못한 것들이 지금은 남아돌고 있는데 몸은 선사시대와 별반 다르지 않다. 여기서 생겨나는 에너지 섭취와 소모의 불균형이 인류를 비만으로 인도하는 원인이 된다. 2010년 3월에 발표된 〈중독의학저널Journal of Addiction Medicine〉에서는 비만을 당뇨나 고혈압처럼 관리해야 하는 범주의 질환이 아닌 음식 중독이나 섭식 장애와 마찬가지로 정신신경학적인 면에서 접근하여 치료해야 한다는 주장이 발표되었다. 비만의 원인이 되는 음식의 과잉 섭취는 강박적이고 충동적인 욕구에서 생겨나기 때문에 이런 부분을 조절하는 치료가 병행되어야 한다는 점을 강조하는 것이다. 앞서 언급한 쾌락 중추의 자극과 맞닿아 있는 이야기다. 비만 문제를 해결하기 위해 병원을 찾는 사람들의 약 30%가 폭식 장애를 동반하고 있다고 한다. 이것은 마약에 중독되는 원리와 비슷하다. 비정상적으로 어떤 것을 탐닉하는 것은 뇌의 보상작용 때문이다. 뇌의 쾌감 중추에 있는 도파민 수용체가 자극을 받아 활성화되면 우리는 실험실의 쥐가 전기 자극을 탐닉하는 것처럼 자극을 받는 원인에 집착한다. 그렇기 때문에 비만이 문제인 사람에게 무조건 적게 먹으라고 하는 것은 약물 중독 환자에게 약을 먹지 말고 버티라고 방치해버리는 것과 다름이 없다.

일반적으로 비만의 기준은 BMI^Body Mass Index(체질량 지수)로 표시한다. BMI 지수는 체질량 대비 신장의 비율로 측정하며 체중에서 체지방이 차지하는 비율이 남성은 25%, 여성은 30% 이상일 때를 고도비만으로 정의한다. 그러나 BMI 지수는 단지 평균적인 기준이자 신장 대비 체중의 비율일 뿐이며 정확한 비만의 판단 기준이 되기 어렵다는 의견이 많다. 실제 BMI 지수만으로 비만으로 분류하기에는 무리가 있다. 특히 인종이 가진 신체적 특성이 반영되지 않은 기준이기 때문에 상당히 문제가 많은 기준이다. 그렇다면 왜 아직도 병원이나 보건소에서 비만을 측정하는 기준으로 BMI를 사용할까? 근본적인 문제는 이 기준을 만들어낸 곳이 의료계나 과학계가 아닌 보험업계이기 때문이다. BMI 기준은 1895년, 현재도 존재하고 있는 보험회사인 매트라이프생명의 전신인 메트로폴리탄사에서 생명 보험료를 책정할 때 보험료 할증을 하기 위해 보험 고객들의 나이와 키, 체중 등을 분석하여 만들어낸 기준이다.

재미있는 것은 당시의 비만에 대한 인식은 지금과는 완전히 달랐으며 BMI 지수가 높은 사람에게 더 많은 할증을 시키는 의도도 지금과는 달랐다. 현재는 보험 계약 시 비만지수가 높은 사람에게 보험료를 더 요구하는 이유가 비만으로 인한 리스크 때문이지만 19세기에 높은 비만지수는 부의 상징이었다. 즉, 높은 보험료에 대한 의미가 비만으로 인한 리스크가 아니라 더 많은 부를 가진 사회구성원으로서 사회적 책임을 요구하는 의미였던 것이다. 아이러니하게도 전혀 다른 의미로 만들어진 기준이 현재까지도 생물학적인 기준을 대변하는 근거로 사용되고 있다. 이런 사회적 인식은 우리나라도 무관하지 않았다. 먹을거리가 부족했던 시절에 비만이 부의 상징처럼 인식되며 "뱃살은 인격"이라는 농담이 유행했던 것이 그리 오래전 이야기가 아니다.

비만에 대한 국가적인 차이는 분명히 경제적인 풍요와 관련이 많다. 후진국이나 개발도상국일수록 생활수준이 높은 집단과 여성의 비만이 더 많으며, 미국을 비롯한 선진국일수록 생활수준이 낮은 집단에서 더 많이 나타난다. 여기에는 몇 가지 이유가 있는데 가장 큰 이유는 선진국일수록 빈빈층은 정크 푸드 같은 가격이 저렴한 식사에 자주 노출이 되고 후진국일수록 이런 정크 푸드를 접하기 어렵기 때문이다. 상대적으로 빈곤한 지역에서 먹던 자연식은 건강식으로 선진국의 부유층에게 공급되고 부유한 지역의 정크 푸드는 후진국의 부유층에게 선진국의 상징으로 공급이 되는 아이러니다. 또 하나의 원인은 미(美)의 기준에 대한 인식이다. 비만으로 인해 생기는 체형 변화에 대한 사회적 인식이 다르다. 미의 기준은 사회적으로 우월한 집단의 성격에 의해 결정되는 성향이 크다. 미의 기준은 그 사회의 성격에 따라 달라지기 때문에 과거에는 통통한 여성의 몸매가 매력적이었지만 지금은 그 기준이 달라졌다. "뱃살은 인격"과 다르지 않은 이야기다.

BMI 지수 30 이상에 합병증이 있거나 BMI 지수 35 이상을 보통 비만으로 정의하고 의학적으로 질병으로 분류하고 있으며 비만을 포함하여 여러 가지 신체적 문제가 발생하는 경우 '대사 증후군'으로 재분류하여 당뇨병이나 고지혈증, 고혈압 등의 전단계로 보고 있다. 비만은 이외에도 여러 가지 질병의 원인이 된다. 비만을 가지고 있는 사람들의 공통적인 질환 중 하나가 바로 무릎 통증이다. 중력 안에서 직접적으로 체중의 압박을 받는 관절은 무릎 말고도 있지만 좌우로 100%의 체중을 주고받는 보행의 특성상 무릎이 받아내야 하는 체중의 압박은 상당하다. 체중이 늘어나면 당연히 그 압박도 늘어난다. 무릎 관절염 못지않게 많이 생기는 증상은 추간판 탈출증(디스크)이다. 이 역시 체중을 견뎌내는 중력 구조물 중에 가장 직접적으로 체중의 압박을 받는 관절이기 때문이다. 비만은 심각한 활동성 저하를 유발하는데 이런 활동성 저하 현상은 면역력의 저하로 이어진다. 비만은 면역력을 떨어뜨려 환절기나 환경이 바뀌면 감기를 비롯한 면역력과 관련된 질환에 노출되기 쉬운 체질이 된다. 비만으로 인한 내장 지방의 증가는 장기를 압박하여 정상적인 내장 기능을 저하시키며 의자에 앉아서 생활하는 시간이 많은 현대인들은 전립선에 이상이 생기게 된다. 많은 전립선 관련 질환들의 가장 큰 원인으로 비만이 지목되었을 정도다. 또한 코골이와 수면무호흡증의 원인이며 성호르몬을 교란하여 체내 성호르몬 비중을 중성적으로 변화시켜 남성을 여성스럽게 여성을 남성스럽게 만드는 부작용도 생기며 성기능 저하도 유발시킨다. 겨드랑이 암내의 원인이기도 하며 과도한 음식의 집착으로 인해 생긴 비만은 뇌의 도파민 분비를 방해하여 감정적인 문제에도 쉽게 노출된다.

이처럼 비만이 만들어내는 합병증의 종류는 무궁무진하고 신체에서 일어나는 악의 근원이라고 해도 틀린 말이 아닐 정도다. 비만은 빈틈없이 우리의 몸을 괴롭히는 악의 축과 같다. 요리라는 문명은 축복이지만 축복의 이면이 만들어낸 그늘은 과도한 영양의 무분별한 공급과 섭취다. 그 과정에서 만들어진 폐허가 바로 '비만'이다. 우리는 어쩌다 이런 폐허와 마주하게 되었을까? 그 중간에는 끊어진 연결 고리가 존재한다.

운동 부족

남아도는 식량으로 요리를 만들어 먹고 진보된 기술로 먹을거리를 생산해내기 시작하면서 일하는 시간이 줄어든 것은 인류의 긴 역사에서 보면 매우 최근에 생겨난 변화다. 그 이전 인류의 역사는 대부분 식량을 확보하기 위한 처절한 싸움이었다. 그렇기 때문에 호모사피엔스의 몸은 음식을 섭취했을 때 에너지 효율이 높은 영양소인 지방을 쉽게 저장하는 구조로 진화해왔다. 현재는 훨씬 풍부한 영양 섭취로 인해 몸에 지방이 대량으로 양산되어 쌓이고 움직이는 것은 옛날에 비해 훨씬 줄어들었기 때문에 필연적으로 비만과 같은 질환이 생길 수밖에 없는 구조라는 이야기다. 거기에 움직이지 않고 할 수 있는 것들이 너무나 많아졌기 때문에 우리는 더더욱 움직일 이유가 없어졌다는 쐐기를 박아 넣는 이야기다. 얼마나 움직여야 하는가에 대한 이야기는 의견이 분분하다. 사실 자연인까지 갈 것도 없이 자동화된 농기구 없이 삽이나 호미만 들고 농사일을 하기에도 우리의 몸은 너무나 '충분히' 약해져 있다. 몸을 떠나 움직이지 않는 것에 적응하는 속도는 놀랍도록 빠르다. 하지만 몸의 대사는 신체 능력이 약해졌다고 해도 그 수준으로 내려가지 않는다. 우리 몸의 대사 수준은 아마도 완성 단계였을 '매일 처절한 싸움' 수준에 맞춰져 있을 것이다. 이것은 매우 불규칙적이고 간헐적인 스트레스로 자연의 주기에 맞춰서 노동의 강도를 조절할 수 있는 농경과는 다른 종류의 신체 움직임이다. 이와 같은 움직임은 상당히 감정을 표출하게 되는데 사실상 서구화된 현대사회에서는 요구되지 않는 움직임이며 억제되어야 하는 감정들이다.

모든 스트레스는 교감신경을 활성화시킨다. 교감신경이 활성화된 상태에서의 급성 스트레스는 감정에 의해 유발되는데 이런 감정들은 매우 자연스러운 감정들이며 이것을 해소하기 위한 움직임을 만들어내는 원료가 된다. 각종 감정 스트레스들은 교감신경계와 부신피질을 자극하여 아드레날린을 분비시키고 심박수 증가, 혈압 상승, 호흡 증가, 소화 기능 저하, 근긴장도 증가 등의 스트레스 반응들을 일으킨다. 이런 급성 스트레스 반응들은 적절하게 해소가 되지 못하면 다른 문제를 만들어낸다. 다소 극단적인 예라고 할 수 있지만 내게 스트레스를 주는 직장 상사나 난폭 운전을 하는 사람들을 때려눕힐 수는 없다. 사회 규범상 그런 폭력은 범죄이기 때문이다. 우리는 야생동물을 사냥하기 위해 창을 들고 뛰어다닐 수도 없고 자신의 영역을 지키기 위해 영장류 특유의 폭력성을 내뿜을 수도 없다. 이것은 고등한 사회구성원으로서 당연히 억제되어야 하는 것들이지만 억제되는 만큼의 스트레스에 지속적으로 노출되고 해소되지 못하는 스트레스는 질병의 전 단계로 가게 된다. 사실 이런 종류의 스트레스에 가장 좋은 것은 다른 아닌 운동이다. 스트레스라는 감정의 생물학적인 정체는 다른 아닌 호르몬이다. 도파민이나 세로토닌 같은 호르몬에 의해 느껴지는 감정들은 어떤 상황이나 일련의 사건이 원인이지만 결국 분비되는 호르몬에 의해 결정된다. 그리고 그와 같은 호르몬은 일정 수준의 신체 활동에 의해 조절이 되기 때문에 우리에게 스트레스를 주는 직장 상사에게 창을 던지거나 난폭 운전을 하는 사람에게 주먹을 휘두를 필요가 없는 것이다. 감정이라는 것은 매우 복잡해 보이지만 아주 간단한 요소에 의해 조절되기도 한다. 그렇기 때문에 시간이 날 때가 아닌 시간을 내서 운동을 하는 것이야말로 가장 좋은 해결책이다. 호르몬의 교통 정체에는 운동이 해결책이다

시각이나 청각은 이성적 사고와 직결되어 어떤 종류의 영감을 떠오르게 한다. 후각과 미각은 어떤 종류의 감정들과 연결되어 있다. 구석기시대에 맞춰져 있는 급성 스트레스를 대하는 우리 몸은 구석기시대만큼 격렬한 움직임을 원할 것으로 생각된다. 그러나 지금은 여러 가지 제약이 따른다. 가장 큰 이유는 지금이 구석기시대가 아니라는 것이다. 이럴 때 몸은 감정과 연결되어 있는 후각과 미각을 자극시켜 스트레스를 해소하려는 방법을 택하곤 한다. 비만은 심리적 허기에 대한 음식 중독 현상이라는 말도 있다. 스트레스를 음식의 자극으로 풀면 자극적인 음식을 선호하는 경우가 많으며 폭식을 하게 된다. 여기서부터는 식생활과는 거리가 멀어진다. 적당한 신체 활동이 제약을 받을 때 생겨나는 스트레스를 음식으로 해소하면

식사는 매우 폭력적으로 변한다. 그리고 그에 따른 부작용은 고스란히 스스로가 책임을 져야 한다. 결국 근본적인 해결책은 결여된 것을 채워나가는 스스로의 의지와 노력뿐이다. 인간의 몸은 부레가 없는 경골어류와 같다. 부레가 없는 경골어류는 계속해서 헤엄치지 않으면 죽는다. 그래서 상어 같은 경골어류는 자면서도 헤엄을 친다. 많은 것이 변화하는 21세기 현대사회는 현대인들에게 헤엄치지 않는 상어 같은 모습을 요구하고 있는 것 같다. 우리는 모든 통증과 고통으로부터 끊임없이 멀리 헤엄치는 상어가 되어야 한다.

주석

1

맥길 통증 어휘표(McGill Pain Questionaire Word List / McGill pain index)

1971년 맥길대학(McGill University)의 멜작(Melzack)과 토거슨(Torgerson)은 통증은 사회적 · 심리적으로 복잡한 요인이 있기 때문에 한 가지 척도로만 평가할 수 없음을 간과하고 감각 구분 영역(Sensory-Discrimination Dimension), 동기 유발 감정 영역(Motivational-Affective Dimension), 인식 평가 영역(Cognitive Evaluation Dimension)에 따라 통증에 관한 어휘를 제시하고 환자가 느끼고 있는 통증에 대해 적절한 어휘를 선택하도록 하여 통증의 강도를 서열 척도화한 맥길 통증 어휘표(MPQWL)를 고안하여 통증 평가 방법으로 사용하였다.

20종의 통증 어휘군 중에서 선택하는 어휘 수(Pain Rating Index), 선택된 어휘 수 및 현재 통증 강도(Present Pain Intensity, PPI)로 통증을 분석하여 통증 감지 지수를 백분율로 계산하여 통증 감소 정도를 평가한다.

맥길 통증 어휘표은 내적인 지속성이 있고 반복 측정에도 신뢰도가 높으며 통증의 원인이 같은 환자끼리 특정한 표현으로 모이는 경향이 있지만 아직 우리말로 된 표준안이 없어 사용이 어렵다.

1

| 075 page |

골반저근은 골반뼈를 위에서 보았을 때 앞부분의 두덩뼈에서 엉덩이 뒤쪽에 해당하는 엉치뼈까지 연결되어 있는 근육군이다. 괄약근이 흔하게 알려진 골반저근의 한 종류다. 골반저근은 구조적으로 장기를 접시처럼 떠받들고 있는 구조이며 성기능과 허리 기능에 중요한 근육이다. 가슴 쪽으로는 횡격막이 복압을 조절하는 것처럼 골반 아래로는 골반저근이 복압을 조절하여 척추다열근의 활성화를 자극하여 척추를 안정화시킨다. 그래서 골반저근을 골반횡격막이라고도 한다. 괄약근뿐 아니라 요도와 질에도 분포되어 있기 때문에 항문 조이기(케겔 운동) 등으로 골반저근의 활성화를 유도할 수 있고 소변을 참는 것 같은 느낌으로도 강화할 수 있다.

2

| 104 page |

장경인대는 허벅지 뼈에서 정강이뼈까지 허벅지 옆쪽으로 연결된 두터운 대퇴 근막을 말한다. 장경인대는 주로 무릎을 편 자세를 유지해주는 기능을 하며 무릎을 반쯤 굽힌 상태에서 체중을 지지하여 안정성을 유지해준다. 지속적으로 구부리고 펴는 동작을 반복하는 일상 동작 중 대표적인 것이 걷는 것인데 보행 패턴이 잘못되면 뭉치고 운동선수들이나 오래 앉아서 일하는 사무직도 자주 뭉쳐서 통증을 유발한다. 이러한 증상을 장경인대 증후군이라고 하는데 생각보다 흔하게 나타나는 증상이며 대표적인 증상이 무릎 통증이다.

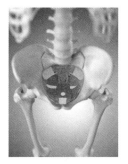

골반저근

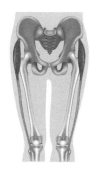

장경인대

어깨

삼각근은 우리가 일반적으로 어깨라고 생각하는 부분의 근육이다. 어깨 양쪽을 끝에서 둥글게 덮고 있는 근육들이며 크게 전면삼각근, 후면삼각근, 측면삼각으로 구분하며 세 근육군들의 모양이 역삼각형 모양을 이루고 있기에 합쳐서 삼각근이라고 부른다. 전면 삼각근은 쇄골에서 출발해 어깨에서 팔꿈치까지 이어진 긴 팔뼈인 상완골까지 이어져 있다. 그래서 팔을 앞으로 들어 올리거나 앞으로 밀어내는 동작을 만들어낸다. 후면삼각 근은 반대로 견갑골까지 연결되어 있어서 팔을 뒤로 벌리거나 당기는 동작을 만들어내 며 측면 삼각근은 승모근과 연결되어 있어 팔을 옆으로 들어 올리거나 위로 밀어내는 동 작을 만들어낸다.

어깨관절은 인체의 관절 중 유일하게 360도 회전이 가능한 관절이다. 높은 가동 범위에 비해 안정성이 떨어지는 관절이며 작은 근육과 인대 다발의 복합체로 이루어져 상당히 다양하고 입체적인 움직임을 만들어내는 반면 작은 충격에도 부상을 당하거나 무리하게 반복되는 동작을 수행할 시 쉽게 통증이 생기는 부위다. 회전근개는 극상근, 극하근, 소 원근, 견갑하근으로 이루어져 있다. 극상근은 팔과 어깨를 바깥 방향으로 벌릴 때 사용 되며 '어깨를 활짝 펴는' 동작을 만들어낸다. 극하근은 어깨에서 팔꿈치까지 부분인 위팔 뼈(상완골)을 외회전시키는 동작을 만들어낸다. 보통 극상근과 극하근에 문제가 생기면 팔 을 들어 올리는 동작에 제약(통증)이 생기게 된다. 소원근은 극하근과 같은 기능을 하는 근육으로 보통 오십견이 왔을 때 문제가 생기는 근육이다. 견갑하근은 극하근, 소원근과 는 반대로 어깨와 위팔뼈를 내측으로 회전시키는 근육이다. 어깨관절을 다양하게 움직 일 수 있게끔 설계된 회전근개는 각 근육마다 만들어내는 움직임이 다르지만 각자 어깨 관절을 안정시키는 공통적인 기능을 가지고 있다.

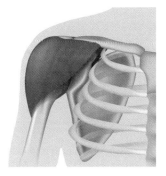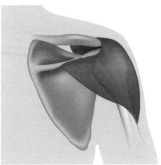

어깨 근육 삼각근

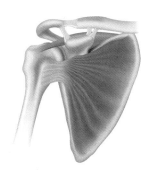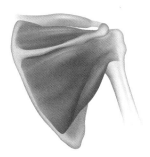

어깨 근육 어깨 회전근개

광배근은 이름에 들어가는 한자인 광(廣)처럼 등 근육에서 가장 넓은 면적을 차지하고 있을 뿐만 아니라 대둔근(엉덩이)과 대흉근(가슴)과 함께 인체에서 가장 큰 근육 중 하나다. 흔히 말하는 역삼각형 몸매라고 하는 근육질 몸매는 광배근이 발달하여 생기는 체형이라고 보면 된다. 몸을 직립시키기 위해 펴는데 크게 일조하는 근육이며 팔을 당기는데 가장 큰 힘을 내는 근육이다. 팔로 매달려 올라가거나 무거운 물체를 땅에서 들어 올릴 때 가장 큰 힘을 내며 팔과 연결되어 있는 근육이기 때문에 팔을 이용해 큰 힘을 낼 때 가장 많이 개입되는 근육이다. 크기가 큰 만큼 등 근육 전반에 걸쳐 영향을 미치며 운동선수들의 퍼포먼스에도 영향을 미치기 때문에 거의 대부분의 운동선수들이 잘 발달된 광배근을 가지고 있다.

능형근은 척추에서 견갑골까지 나란히 붙어 있어 척추와 견갑골을 이어주는 역할을 하는 근육이다. 능형근은 소능형근과 대능형근으로 이루어져 있으며 겉으로 드러나지 않고 깊은 곳에 위치하는 심부근이다. 견갑골을 올리고 내리고 모으고 벌리고 회전시키는 모든 움직임에 관여하며 능형근이 제 역할을 하지 못할 때는 라운드 숄더(굽은 어깨)가 발생하고 어깨와 등이 걸리는 통증이 발생한다.

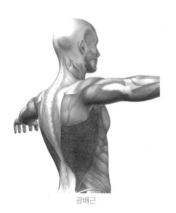

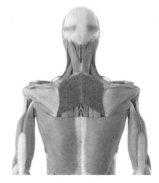

광배근   능형근

전거근은 특유의 모양 때문에 종종 늑골(갈비뼈)로 오해를 받는 근육이다. 톱니 모양으로 발달된 근육이기 때문에 '앞톱니근'이라고 한다. 위치한 곳이 견갑골 안쪽에서 갈비뼈까지 붙어 있는 근육이기 때문에 기능이 다양한데 턱걸이나 팔굽혀 펴기처럼 단순한 움직임에도 전거근이 사용되지만 수영의 영법처럼 당기고 밀어내는 것이 거의 동시에 일어나는 동작이나 복싱에서 펀치를 칠 때 하체와 허리에서 생겨난 회전력을 팔에 전달하는 복합적인 움직임을 만들어낼 때도 전거근의 기능이 빛을 발한다. 견갑골과도 연결되어 있기 때문에 어깨관절의 안정성에도 영향을 미치며 전거근이 제대로 활성화되지 않으면 어깨 부상을 당할 확률이 높아진다.

대퇴부는 인체에서 가장 긴 뼈인 대퇴골에 위치하고 있는 근육으로 보통 넓적다리라고 하는 부분의 근육이다. 대퇴부는 넓적다리 앞쪽에 위치하는 대퇴사두근과 뒤쪽에 위치하는 대퇴이두근이 있다. 대퇴사두근은 대퇴직근, 외측광근, 중간광근, 내측광근 이렇게 네 개의 근육으로 이루어져 있기 때문에 '넙다리 네 갈래근'이라고 한다. 무릎을 곧게 펴는 동작을 만들어내며 강하고 큰 근육이기 때문에 강한 힘을 낸다. 햄스트링은 허벅지 뒤쪽에 위치한 긴 근육이며 팔의 이두근과 같이 장두와 단두, 두 가지 근육으로 이루어져 있기 때문에 '넙다리 두 갈래근'이라고 한다. 주로 무릎을 굽히거나 종아리를 바깥쪽으로 돌리는 동작을 만들어내는 근육이다.

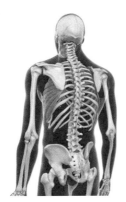

전거근

대퇴부

1

횡격막은 가슴과 배를 나누는 경계가 되는 근육으로 이루어진 막이다. 가로로 나눠지는 경계에 있기 때문에 '가로막'이라고 한다. 횡격막의 가장 큰 기능은 호흡이다. 수축하면서 호흡을 들이마시고 이완하면서 내뱉기 때문에 이 과정 속에 가슴속의 공간이 넓어지고 좁아지기를 반복하며 폐 속으로 들어가는 공기의 부피를 늘였다 줄였다 하며 호흡을 하는 것이다. 또한 다른 복근들로 만들어진 복압을 이용해 배변을 하는데 매우 중요한 근육이다. 뱃속에 생긴 압력으로 배변을 하는데 배변을 할 때 일시적으로 압력을 높여주는 역할을 하는 근육이 횡격막이며 비슷한 원리로 구토를 하기도 한다. 또한 식도의 압력을 조절해 위산이 역류되는 것을 막는 역할도 한다.

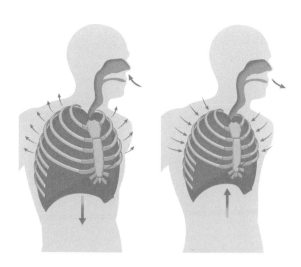

횡경막

270

둔근은 엉덩이 근육으로 가장 큰 대둔근과 중둔근, 소둔근으로 나눠지며 볼기근이라고도 한다. 일반적으로 둔근의 근섬유는 조밀하지 않은 대신 크기가 크다. 대둔근은 엉덩이 근육뿐 아니라 몸 전체에서도 가장 큰 덩어리 근육에 속한다. 대둔근은 다리를 뒤쪽으로 당기고 고정시켜 몸통과 골반을 바로 서게 하여 직립할 때 중요한 역할을 한다. 중둔근은 대둔근 바로 위쪽에 위치해 있으며 넓적다리를 바깥 방향으로 외회전시키는 동작을 만들어 내는 근육이다. 허리 부분과 맞닿아 있어 허리 근육의 안정성을 돕는 역할을 하는데 중둔근이 뭉쳐 긴장하면 요통을 유발하기도 한다. 소둔근은 대둔근과 중둔근의 외측 아래에 파묻혀 있다. 소둔근은 중둔근과 반대로 다리를 안쪽 방향으로 회전시키는 동작을 만들어 내며 걸을 때 다리를 앞으로 나가게 하는 근육이며 잘못된 보행 패턴으로 뭉쳐서 긴장하면 허리와 허벅지 아래쪽에서 심하면 발목까지 통증을 유발하기도 한다.

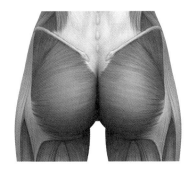

둔근

다열근은 척추기립근보다 더 안쪽에서 척추와 맞닿아 있는 근육이다. 다열근의 구조는 척추 마디마디를 하나씩 떠받들고 있는 구조이기 때문에 척추와 관련된 다른 근육들과 비교해 조금 더 직관적이지만 의식적으로 사용하기는 어려운 근육이다. 해부학적인 의미에서 코어라고 하는 근육들 중 매우 중요한 근육이며 안쪽에 위치한 근육이기 때문에 척추기립근을 비롯한 다른 코어 근육에 비해 의식적으로 활성화되기 어렵지만 잘 지치지 않는 근육이다. 그러나 이 근육이 잘 활성화되지 않아 다른 코어 근육들만 사용하게 된다면 요통을 유발할 수 있기 때문에 다열근 역시 사용해야 하는 중요한 근육이다.

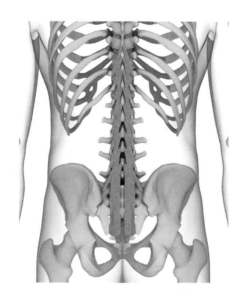

다열근

복횡근은 복부의 앞쪽 외측면에 위치하고 가장 안쪽에 위치하는 근육으로 '배가로근'이라고 한다. 복횡근은 복근 중에서 가장 안쪽에 위치한 근육이기 때문에 장기를 감싸고 있는 복막, 내장과 맞닿아 있는 근육이다. 다른 복근들과 함께 호흡을 돕고 일정하게 복압을 유지하는 기능을 하지만 복막, 내장과 가장 가깝게 맞닿아 있기 때문에 장기의 위치를 안정화시키며 자세를 안정시키는데 큰 역할을 하기 때문에 크기는 작지만 매우 중요한 근육이다.

복횡근은 복부의 압력을 유지시켜주면서 척추에 가해지는 중력의 압박이나 외부의 충격을 완화시켜주는 역할을 하고 여성들에게는 자궁 수축과 출산을 돕는 근육이기도 하다. 이 근육이 활성화되지 않으면 둔근(엉덩이)나 주변 다른 근육들이 유사한 역할을 해야 하기 때문에 과긴장 상태를 초래하는데 이런 경우 요통으로 발현되는 것이 대부분이다. 이렇듯 복횡근이 약화되면 초래되는 척추 불균형과 요통 때문에 피트니스나 의학계에서도 중요시되고 있는 근육이며 척추 전만의 원인이 되기도 하는 근육이다.

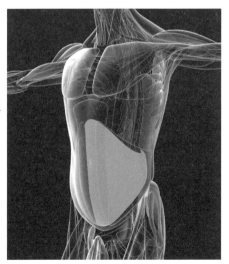

복횡근

복직근은 보통 식스팩(Six Pack)으로 알려진 배의 근육으로 '배곧은근'이라고 한다. 길고 넓은 가죽 끈 모양으로 배의 앞쪽에 양쪽으로 나뉘어 있으며 배곧은근육과 나눔 힘줄로 구성되어 있고 세로로 길고 넓은 모양 중 위쪽보다 아래쪽이 더 넓고 두껍다. 신체 앞쪽에서 주로 몸을 굽히는 동작을 만들어내고 복부 장기를 압박하여 형태를 유지시켜주거나 골반 기울기의 안정과 조정을 맡는다. 일반적으로 식스팩으로 알려진 블록 모양의 복근은 나눔 힘줄이며 다른 복근들과는 달리 복압에 개입하지 않으며 주로 몸통의 안정성과 골반을 조정하는 기능을 담당한다.

이두박근은 위 팔뚝 앞 방향에 붙은 근육으로 일명 '알통'으로 불리는 근육이며 '위팔 두 갈래근'이라고 한다. 작은 근육군이지만 '근육'이라는 명사를 상징하는 근육이다. 근육질의 상징 같은 근육이 작다는 것이 아이러니지만 눈에 잘 보이는 근육을 좀 더 익숙하고 기능적으로 사용하는 특성상 상당히 위력적인 근육인 것은 사실이다. 이름이 이두근인 것은 두 갈래의 작은 근육들이 겹쳐 있는 형태이기 때문인데 두 근육 중 몸 쪽에 가깝고 작은 것을 단두, 팔 쪽에 가깝고 큰 것을 장두라고 한다. 이두박근은 기본적으로 팔뚝을 몸 쪽으로 굽히는 역할을 하는 굴근이며 단두는 팔을 굽힐 때 몸 안쪽 방향으로 굽히는 동작을 만들어내고 장두는 몸 바깥 방향으로 굽히는 동작을 만들어낸다.

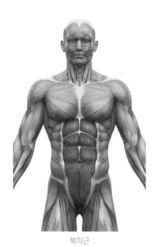

복직근

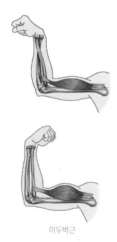

이두박근

승모근은 흔히 목옆에 툭 튀어나온 근육만 생각하기 쉽지만 목 근육은 물론 광배근과도 맞닿아 있고 척추를 따라 허리 아랫부분까지 꽤 광범위하게 연결되어 있고 크기도 큰 근육이다. 그렇기 때문에 상부, 중부, 하부 승모근으로 분류하며 우리가 알고 있는 목 바로 옆의 승모근은 상부 승모근에 해당된다. 중세 수도승들이 입던 옷에 달린 모자를 닮았다고 해서 붙여진 이름인데 해석이 되는 과정에서 승려들이 쓰는 모자를 닮았다고 해석되면서 승모근이리고 이름이 붙여졌으며 우리말 명칭은 '등세모근'이다. 승모근은 상체 뒷면 전반에 걸쳐 존재하는 근육인 만큼 기능도 입체적이다. 목 인근에 위치한 상부 승모근은 목의 움직임과 안정성에 기여하며 어깨를 위로 들어 올리는 기능을 한다. 중부 승모근은 견갑대와 광배근이 연결되어 있어 이들이 등 안쪽으로 조여지는 동작을 만들어내는데 팔을 뒤로 당기거나 벌리는 동작에 안정성과 힘을 만들어낸다. 하부 승모근은 어깨를 아래로 내리는 동작을 만들어낸다. 목뼈와 쇄골, 견갑대와 팔이 잘 연결되어 운동을 하거나 동작을 만들 때 안정성을 주는 근육이다.

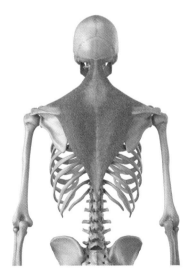

승모근

인류 — 통증 연대기

초판 1쇄 인쇄 2018년 9월 10일
초판 1쇄 발행 2018년 9월 17일

지은이   최영민, 오승호

책임편집   김민영
디자인   정해진
일러스트   윤시윤
경영총괄   이선희
전자책사업   이연수, 현명하

펴낸이   정동윤
펴낸곳   닐다
등록   2016년 2월 29일 제 25100-2016-000021호

주소   경기도 고양시 덕양구 삼송동 84-64 401호
전화   070-8161-8004
팩스   0303-3443-8004
이메일   nildapub@gmail.com
페이스북   https://www.facebook.com/nildabooks

ISBN   979-11-959782-6-7 03500